Pauline 2004

Le gouffre du silence

Le gouffre du silence

Un roman de

Réjean Gagnon

Les Éditions
de la Francophonie

Couverture : **Info 1000 mots inc.**

Mise en pages : **Info 1000 mots inc.**

Corrections d'épreuves : **Monique Grenier**

Production : **Les Éditions de la Francophonie**
55, rue des Cascades, Bureau 100C
Lévis, (Québec) G6V 6T9
Courriel :ediphonie@nb.aira.com

Distribution : Distribution **UNIVERS,**
845, rue Marie-Victorin,
Saint-Nicolas, Québec G7A 3S8
Courriel : d.univers@videotron.ca
(418) 831-7474 1 800 859-7474

ISBN 2-923016-17-3

Dépôt légal – 1er trimestre 2003
Bibliothèque nationale du Canada
Bibliothèque nationale du Québec
Imprimé au Canada

Pour la seconde fois, le haut-parleur crépita dans la carlingue du Bœing 747.

– Préparez-vous à passer aux douanes françaises, passeport et carte de visite en main. Le vol 641 se posera à Orly dans vingt minutes.

Par le hublot près de son fauteuil, Andréanne contemplait rêveusement la surface marine, à quelques milliers de mètres plus bas. Un duvet de vaguelettes parcourait par intervalles l'étendue aquatique, donnant aux rayons du soleil levant, qui s'y miroitait, la sensation de recevoir les premières lueurs du jour par le ricochet de milliers de minuscules miroirs flamboyants. Les yeux encore lourds d'un sommeil au compte-gouttes, la passagère québécoise remarqua que le grésillement des deux turbo-réacteurs, accrochés à l'aile en retrait de sa fenêtre, avaient diminué en intensité. Un son plus doux allait de pair avec une perte d'altitude évidente, constata soudain Andréanne, qui avait noté l'inclinaison du plancher vers l'avant depuis le premier message du commandant de bord invitant les passagers à boucler leur ceinture.

– Mais enfin, s'enquit la passagère d'un air inquiet à l'adresse de son voisin, va-t-on se poser sur la mer ?

L'homme de race noire, au teint mulâtre, coiffé d'une casquette de laine, jeta sur son interlocutrice un regard sombre. Une barbe hirsute lui couvrait le bas du visage et ajoutait à son allure taciturne. Depuis le départ de Mirabel, son humeur renfrognée s'était dressée contre toute possibilité d'échange avec ses voisins. Andréanne lui avait adressé un salut avec un de ces sourires qui, d'habitude, jetaient un baume sur les humeurs les plus maussades. À peine avait-il hoché la tête avec un sérieux sans compromis.

Bon, avait-elle conclu pour elle-même, en voilà un qui tient à son isolement. Elle s'était ensuite réfugiée dans la hâte qu'elle avait de rencontrer Muktar, de découvrir le jeune Camerounais qui lui avait communiqué tant de ferveur par courriel.

Sa relation avec le jeune Africain de vingt-huit ans avait débuté six mois plus tôt par une conversation anodine, un « chat » sur Internet. Elle-même, Andréanne, une Lévisienne de trente-six ans, jolie, coquette, mais dont le ménage tirait de l'aile depuis quelques années, avait un site Internet pour la défense d'une cause humanitaire. C'est par là que s'était introduit Muktar. Il était enchanté de constater qu'une personne d'un pays comme le Canada se portait à la défense de gens injustement condamnés dans les régimes du tiers-monde. Il offrait donc son aide pour la cause en tant qu'artiste, chanteur, compositeur et interprète. Il serait sans doute possible, selon lui, de donner des concerts-bénéfices, avec un pourcentage des profits consacrés à cet organisme parrainé par Andréanne.

Entre-temps, Joseph Albert continuait à manifester son irritation. Quelque chose dans le comportement de sa conjointe lui rendait cette dernière insupportable. De son côté, Andréanne se sentait l'objet de tant de violence verbale que sa valeur personnelle et son estime de soi avaient chuté à un niveau encore inégalé depuis toutes ces années, et ce, malgré la carapace qu'elle avait dû se donner pour durer et endurer.

La violence conjugale, à ses débuts, a des moments de pause, de rémission. Elle doit se retirer et faire place à des périodes d'accalmie durant lesquelles le repentir et la douceur s'emploient à réparer les dégâts et à répandre un baume sur les plaies de la victime. Pendant ce temps d'accalmie, une autre tempête est en préparation. Elle éclate inexorablement avec une fureur plus grande d'une fois à l'autre. À la longue, les moments d'accalmie deviennent plus brefs et, insidieusement, la victime qui, au début, était priée et même suppliée, pendant ces périodes, de ne rien dire du drame en cours à son entourage, se retrouve, par son silence, à la merci de la personne qui la domine et lui enlève graduellement tous ses moyens d'autodéfense. La victime cède peu à peu au chantage, aux menaces, et sombre dans un climat de terreur où la fréquence des moments violents ne laisse plus de place aux périodes de repos. Le système nerveux de la victime décroche et atteint un état où la mort lui semble une délivrance bien douce. Elle est de plus en plus attirée par cette félicité qui se dresse inlassablement sur sa route. Ayant épuisé ses énergies, elle se laisse hypnotiser par cette solution incontournable qu'est la mort et qui lui tend les bras. En finir... le repos... La paix, enfin !

Andréanne avait atteint cet état de « burn-out » émotif lorsque s'ouvrit soudain, dans la tempête qui la morcelait de toutes parts, une toute petite porte..., la possibilité qu'un type, un artiste international en plus, s'offre à réaliser un album de musique, des concerts-bénéfices pour sa cause humanitaire. Cette cause avait été son refuge, son rempart dans la lutte quotidienne menée pour garder son équilibre.

Enfin, s'était-elle dit, un être, aussi loin fût-il, me donne de la valeur, reconnaît les efforts consentis à ma cause alors que depuis tant d'années, j'en suis arrivée à n'être plus que l'ombre de ce que j'étais.

– Tu n'es rien, lui martelait Joseph Albert à chaque occasion, tu n'as rien et tu ne peux aller nulle part sans moi !

Cet être à l'autre bout du monde l'avait même informée par téléphone qu'il serait à Montréal sous peu. Ses messages sur le *net* dénotaient chez lui une bonté peu commune. Sa voix chaude et tellement douce dévoilait une tendresse qui l'avait saisie et séduite d'une façon dont elle arrivait difficilement à se défendre.

Il avait la parole pour la réconforter, lui redonner espoir, en ce qui touchait son projet du moins, avec un pourcentage pour son organisme, un rêve qui se réalisait. Elle s'était remise à se sentir plus femme. Cet homme lui inspirait du respect, de l'amitié, puis de l'amour. Cette image qu'il projetait de lui-même, elle la conservait secrètement dans ses rêves pendant que le cycle de la violence continuait à refermer ses serres entre les mains de Joseph Albert.

Voyager avec cet artiste, travailler à ses côtés, participer à sa montée vers les sommets de la richesse et de la célébrité, une vie de rêve, pensait-elle lorsqu'un moment de répit lui en laissait le loisir.

Entre-temps, la tempête poursuivait son travail de démolition. Les nerfs tendus à se rompre, Andréanne se sentait également de plus en plus sollicitée par cet autre paradis de félicité, le repos définitif et amorphe. Dans cet univers de noirceur, l'autre bouée de sauvetage revenait sur le *net*. Que faire ? Mourir ou survivre ?

Un autre obstacle s'était dressé contre la réalisation de son rêve lorsqu'elle s'était décidée à aller retrouver son artiste camerounais à Montréal. Il n'était pas sur le vol d'Air France au moment convenu, et toutes ses démarches auprès de l'agence et même du pilote démontrèrent sans équivoque que Muktar Chaouiri ne s'était pas inscrit sur la liste des passagers pour le vol en question. Un appel au Cameroun, chez un ami du voyageur, confirmait cependant que le chanteur africain avait fait route sur un vol vers Paris la journée précédente.

En mal d'en savoir plus long, Andréanne avait communiqué avec un ami de Joseph Albert qui l'avait accueillie à son appartement au centre-ville de la métropole canadienne. Ce dernier avait profité de l'occasion et de l'état émotif en lambeaux de son invitée pour l'affaiblir davantage avec quelques consommations et la violer copieusement.

C'est donc en état de déconfiture avancé qu'elle avait réintégré son domicile à Lévis, où le climat s'était rembruni d'un cran. Muktar lui avait ensuite fait savoir par courriel qu'on lui avait volé son portefeuille et le billet d'avion. Dans les mois qui suivirent, il réussit à la convaincre d'aller le rejoindre à Paris où il avait un contrat avec France Musik pour enregistrer et éditer ses chansons.

La prudence était de mise et, d'ailleurs, l'entourage d'Andréanne avait servi à celle-ci de sérieuses mises en garde sur le danger d'aller seule retrouver un étranger sur un continent inconnu et dans un monde où les moyens de se protéger lui feraient complètement défaut. Mais la situation lui laissait-elle une marge de manœuvre ? Moins que jamais, la délicate question ne lui laissait plus de choix. Mourir ou vivre.

En allant retrouver cet artiste, elle avait une chance de survivre. Si le tout se terminait par un drame, eh bien, ce serait mourir pour mourir. Mourir ici ou ailleurs... Au point où elle en était arrivée, il fallait bien en finir d'une façon ou d'une autre. Contre vents et marées, elle avait fait le pas d'accepter le billet d'avion qu'il lui avait fait parvenir et d'aller le rejoindre à Alger, en Algérie.

Quelques heures après le départ de Montréal, elle s'était à nouveau aventurée à converser avec son taciturne voisin, comme ça, question de savoir qui il était. Son visage s'était à peine déridé pour lui maugréer qu'il avait affaire à Paris, puis en Égypte. Sa famille était à Londres, et les quelques mots de français qu'il parvenait difficilement à articuler, il les avait acquis chez un ami montréalais lors de ses deux mois de séjour dans la métropole canadienne.

Andréanne aurait aimé en savoir plus sur ses occupations et le but de ses visites d'un endroit à l'autre, mais la porte entrouverte sur cet étrange personnage s'était refermée comme si, déjà, il regrettait d'en avoir trop dit.

– Nous n'allons pas atterrir sur l'eau, grogna-t-il d'une vois monocorde.

– Et Paris, je croyais que c'était loin de la mer, fit-elle en dépliant une carte de l'Europe, qu'elle avait eu le loisir de scruter de façon exhaustive pendant les longues heures de cette nuit, entre ciel et terre, où le sommeil n'avait eu que peu de prise à même le carrousel d'images que son imagination projetait comme un film sans fin sur son écran intérieur.

– À la vitesse de ce Bœing, quelques minutes suffisent pour survoler la Normandie et atteindre l'île de France, c'est-à-dire la région de Paris.

À demi rassurée, Andréanne jeta un coup d'œil rapide vers la surface marine, s'attendant, d'un moment à l'autre, à voir surgir le littoral de ce continent dont l'apparition constituerait une première pour elle.

– Voilà une île, s'exclama-t-elle, en apercevant une étendue de verdure parsemée de minuscules villages mais ceinturée d'un vert jade et s'étendant jusqu'à l'horizon.

– L'île de Jersey, sans doute, observa le mulâtre sans sourciller.

Elle rangea une mèche de cheveux qu'elle avait blonds et flottant jusqu'aux épaules. D'un regard oblique, elle le vit glisser une main à l'intérieur de son pull-over et elle retint sa respiration dans l'expectative d'un geste suspect. Pour une raison qu'elle n'arrivait pas à s'expliquer, cet individu lui inspirait une crainte, un malaise que, dans le fond d'elle même, elle reconnaissait pour l'avoir déjà éprouvé ; un sentiment analogue s'était insinué en elle lors d'une rencontre fortuite dans une ruelle de la basse-ville à Québec, un soir de carnaval. Ce visage mystérieux refermait dans ses traits crispés une énigme qu'elle n'arrivait pas à percer.

Mais voilà que le vol Air France 641 arrivait à terme et que ce troublant personnage allait se fondre à nouveau dans la foule anonyme. Pourquoi y donner de l'importance, pensa-t-elle en essayant d'orienter ses pensées sur le fait qu'elle allait bientôt poser les pieds sur le sol européen. À cette idée, les dernières traces de sommeil s'envolèrent et la jeune passagère remarqua le passeport et la carte de visite touristique dans la main de son voisin. Elle songea alors à sortir ses documents de l'étui de voyage où, à l'embarquement, elle les avait rangés.

– C'est donc ça, la France, songea Andréanne à la vue des campagnes verdoyantes quelques milliers de mètres plus bas.

Des traînées de nuages duveteux s'effilochaient le long de l'aile du Bœing et les turboréacteurs semblaient les traverser tel un oiseau géant planant à travers les pochettes d'une brume matinale. Une grande ville étala soudain le panorama de ses maisons, aux toits de dalles rougeâtres, avec ses rues et ses îlots de verdure.

Paris, pensa aussitôt Andréanne, essayant de capter chaque détail de la Ville lumière. Mais l'exercice fut bref, car déjà le sol approchait et les roues du Bœing touchèrent la piste, amorçant une vibration dans le fuselage de l'appareil tel un animal secouant vigoureusement les poussières accumulées à la sortie d'une randonnée en brousse.

Le préposé à la billetterie releva la tête et regarda de haut la jeune dame qui s'informait des horaires de vol pour l'Algérie. Il émit un léger toussottement pour lui signifier l'incongruence de sa question et pointa péremptoirement l'index vers un des écrans vidéo derrière elle :

– Madame n'aura qu'à consulter l'un des tableaux informatisés dans la salle d'attente, se borna-t-il à lui signifier.

– Quel abruti, murmura Andréanne pour elle-même en lui tournant le dos.

Sur la liste des départs, un vol pour Alger était en effet prévu pour deux heures trente de l'après-midi. Elle avait donc trois heures d'attente avant de prendre la direction du sud.

Ici et là, les voyageurs en transit déambulaient, bagages en main, ou tiraient un chariot vers un comptoir ou une rampe d'embarquement. Certains se tenaient par petits groupes tandis que d'autres passaient seuls, la mine préoccupée par quelque projet personnel.

Mais où va toute cette foule ? se demanda la voyageuse, essayant de se donner un certaine désinvolture. Contrairement à elle, la majorité des visiteurs à Orly semblaient avoir l'habitude des voyages. Elle chercha du regard un fauteuil où s'asseoir. Ses souvenirs s'attardèrent aux livres d'histoire de ses années d'école ; les colons français du temps de Champlain et Frontenac, en attente sur un port de mer, prêts à affronter des semaines de navigation pour atteindre le Nouveau-Monde.

– Vous pourriez prendre soin de cette mallette pour moi pendant quelques minutes ? demanda une voix familière tout près.

Andréanne sursauta en apercevant devant elle son ex-compagnon à bord du vol Montréal-Paris. Avant qu'elle ait eu le temps de revenir de sa surprise, l'étranger était reparti en lui disant qu'il n'en avait que pour quelques instants. La mallette d'un vert sombre était là, en apparence inoffensive. Andréanne la souleva et se rendit à un fauteuil qu'une dame venait de quitter. Puis, elle se souvint du regard étrange que lui avait jeté le mulâtre en passant aux douanes, lorsqu'après avoir entendu le nom prononcé par le gendarme en faction il avait eu un rictus nerveux en lui jetant un regard furtif à la dérobée.

– Richard Ryand, c'est bien vous ? avait prononcé le gendarme en plongeant jusque dans ses entrailles un regard inquisiteur à la recherche d'une faille dans la réaction du visiteur.

Ryand resta de marbre et supporta sans défaillance la fouille douanière dont il était l'objet. Il en a vu d'autres, pensa Andréanne, qui admirait le sang-froid de ce type tout en ressentant au fond d'elle-même une appréhension grandissante devant les intentions secrètes que voilait ce regard d'acier. À présent, c'est ce coup d'œil en coulisse, chargé d'une teinte de doute qui lui revenait, au sujet de ce Richard Ryand, lorsqu'il avait quitté la douane. Et cette valise, pensa-t-elle en posant la mallette par terre. Il lui vint tout à coup une idée. Comme un éclair striant le ciel de ses pensées, elle comprit qu'un danger imminent se tapissait à l'intérieur de cette boîte mystérieuse. D'un bond, elle fut sur pied, agrippa la mallette et se hâta furtivement vers un coin de l'aérogare où le va-et-vient semblait moins turbulent. Elle y déposa la mallette et revint à grands pas vers la rangée de fauteuils à l'autre bout de la salle d'attente.

Au même instant, une explosion assourdissante retentit et des éclats de tous genres volèrent aux quatre coins de l'aérogare sous l'effet de la poussée d'une violence inouïe. Les glaces sur le mur intérieur se fracassèrent et un trou béant apparut dans le plafond et à travers la cloison donnant sur une des rampes d'embarquement. Sur le coup, Andréanne avait été propulsée avec d'autres passants à quelques mètres plus loin et elle se retrouva abasourdie, étendue de tout son long sous une rangée de sièges.

Un mal lancinant lui tenaillait les méninges. Dans sa chute, elle avait dû heurter un objet. Elle mit quelques instants à reprendre ses sens et à se redresser. L'air, chargé de poussière et d'éléments encore en suspens, résonnait d'un bourdonnement incessant comme si, en même temps que les débris en mouvement dans les environs, les retombées sonores tardaient à lâcher prise sur les tympans de la foule abasourdie.

Dans la pénombre qui tardait à se dissiper, Andréanne leva un bras vers le ciel comme pour vérifier le fonctionnement de ses membres tout en se demandant si, effectivement, le ciel ne lui était pas tombé dessus. Comme le brouillard se faisait finalement moins dense, elle crut distinguer, parmi les débris, un bras qui n'était pas le sien. Elle se pencha pour constater que ce membre ensanglanté n'était rattaché à rien. Un frisson d'horreur lui parcourut l'échine. Des cris et des pleurs fusaient de toutes parts et, comme pour mettre un comble à cette scène apocalyptique, une personne dont la tête avait été sectionnée à la hauteur des épaules gisait sur le sol non loin d'elle et remuait encore. Dans un sursaut inattendu, le corps se redressa et fit deux pas dans sa direction en titubant, avant de retomber lourdement à quelques mètres de l'endroit où Andréanne était encore accroupie. Elle eut un haut-le-cœur et sentit qu'elle allait s'évanouir.

Des gendarmes et des secouristes affluaient de partout, pendant qu'un son aigu sonnait l'alerte au quatre coins de l'aérogare en détresse. L'équipe paramédicale mit quelque temps à investir les lieux. Lorsqu'enfin on les vit arriver, les civières emportèrent les blessés d'abord, puis ceux pour qui tout espoir n'était plus qu'un souvenir.

– Le garçon que voici affirme vous avoir vue transportant une valise que vous auriez déposée à l'endroit où s'est produite l'explosion, affirmait un gendarme, le regard rivé sur la physionomie, encore en déconfiture, de la jeune Québécoise.

– Veuillez croire, monsieur l'agent, que si j'étais l'auteure de ce crime crapuleux, j'aurais pris les mesures pour éviter d'en être également la victime, eut la présence d'esprit de répartir celle sur qui pesaient les soupçons.

– Est-ce à dire que vous niez avoir déposé une mallette à cet endroit ? poursuivit l'inquisiteur, qui s'était levé de son bureau pour toiser celle qui lui renvoyait la balle avec une pareille adresse.

Elle avait même l'air outrée et semblait au-dessus de toutes accusations. Comment diantre une personne d'une allure aussi inoffensive pouvait-elle avoir perpétré un attentat semblable ? Un éclair de sympathie traversa le ciel soupçonneux de sa nature policière. L'agent se gratta le front d'un air perplexe et posa à nouveau ses petits yeux de faucon sur son interlocutrice en attendant que vienne une réponse à sa question. Il avait cependant vu dans cet instant d'hésitation une faille par où il allait pouvoir introduire un second regard et, qui sait, sans doute saisir une lueur d'information de nature à le mettre sur une piste.

De son côté, Andréanne était consciente que si elle avouait avoir porté cette mallette à l'endroit du séisme, sa défense allait en prendre un coup. Elle risquait de fortes accusations, sinon d'intention, tout au moins de complicité. Par contre, en niant les faits, comment empêcher ce gênant témoin de continuer à affirmer ce qu'il prétendait ? Ne risquait-elle pas de s'incriminer d'avantage ? N'était-il pas préférable de donner sa version des faits dans sa vérité toute simple ?

– Eh bien, j'ai effectivement déposé une mallette près de cette rampe de l'aérogare où l'endroit me semblait le moins dommageable au cas où une explosion devrait s'ensuivre, se contenta-t-elle de murmurer.

– Prétendez-vous n'avoir pas été au fait que ce colis contenait des explosifs ? fit l'enquêteur, surpris, d'un air incrédule.

– Je ne prétends rien, monsieur. J'affirme tout simplement qu'un type dans la trentaine, un mulâtre, m'a tout à coup remis cette mallette en m'assurant qu'il allait repasser sous peu la reprendre. Comme il avait l'air étrange et ne m'inspirait rien qui vaille, j'ai placé l'oreille près du colis et j'ai cru y déceler un léger tic-tac. J'ai alors couru déposer cette cargaison douteuse à l'endroit où elle a éclaté avant que j'aie pu rejoindre mon siège dans la salle d'attente.

– Vous passerez chez le juge d'instruction, où votre déposition sera entendue, conclut l'inspecteur de la gendarmerie en se tournant vers un subalterne à qui il fit signe qu'on amène l'accusée en lieu sûr.

Pendant les deux jours d'incarcération qu'elle passa dans une cellule de Montmartre, Andréanne eut tout le loisir de se remettre des émotions où l'avaient plongée les événements de son arrivée à Paris. L'enquête sur ses antécédents et sur le but de son itinéraire allait bon train, selon les agents de provenances diverses chargés de faire la lumière sur les circonstances de la tragédie ayant fait de nombreuses victimes. Des agents du FBI américain, toujours à l'affût d'un réseau terroriste dans les cas d'attentats, n'avaient pas tardé à se manifester. Rien dans l'attitude et dans la déposition de l'intimée ne laissait supposer que son rôle dans cette affaire ne fût autre que circonstanciel. Cependant, on ne pouvait la libérer avant d'avoir passé tous les détails de sa déposition à la loupe. Richard Ryand demeurait introuvable. Une liste des passagers du vol 747 d'Air France révélait en effet que cet individu était entré à Orly en provenance de Montréal. Il avait eu le temps de prendre le large sans laisser de traces. Son signalement et un portrait-robot collant à sa description étaient sans doute affichés dans tous les endroits publics de la capitale française.

Ces journées à l'ombre avaient permis à la Canadienne en attente d'un dénouement dans la sordide histoire de passer en revue les circonstances qui l'avaient amenée jusque-là. Sa relation amoureuse avec Joseph, jeune mécanicien de Loretteville. Tout était pourtant si merveilleux entre eux au début. La verve de ce type à l'allure athlétique n'avait d'égale que son humour et son talent de raconteur pour lui faire passer des heures de délice à écouter sa voix suave et mélodieuse. Un mariage était venu sceller l'union qui devait leur assurer un bonheur solide. L'ydille n'avait, cependant, pas fait long feu. Un véritable rêve que ces premiers mois de douceur et de sensualité, où un regard suffisait pour relancer les amoureux dans les bras l'un de l'autre.

Mais les dernières années, que de déceptions, d'amertume ! L'interminable descente au pays des regrets. La solution était peut-être à mi-chemin entre le cœur et la raison, avait-elle pensé en cherchant une issue comme pour écarter de la main une ombre maléfique.

Andréanne Leclerc, les chefs d'accusation retenus contre vous sont levés. Vous êtes libre désormais. À l'avenir, soyez prudente à l'étranger, avait conclu le juge d'instruction, le procureur de la couronne n'ayant pu formuler de raisons pour la retenir plus longuement entre les mains de la justice française.

Une escorte policière l'avait ensuite ramenée à l'aérogare, la libérant de la meute de journalistes qui l'attendaient à la sortie du Palais de Justice. Ébranlée par tous ces interrogatoires mais un sourire de satisfaction sur les lèvres, la voyageuse prit connaissance du dernier horaire des vols d'Air Algérie et se réfugia dans la salle d'attente où elle avait connu de si tragiques moments quelques jours auparavant.

On avait refait à neuf le mur et le plafond de cette partie de la gare que l'explosion avait mise en lambeaux. Les sièges endommagés avaient été remplacés par des neufs et le parquet brillait suite aux travaux de réfection qui donnaient, à ce coin de la vaste aérogare d'Orly, une allure trépidante, d'un modernisme accru.

– Est-il possible qu'en trois jours à peine on ait ainsi effacé toutes traces d'un pareil dégât ? pensa Adréanne. La poussière en suspens dans l'air suffocant et les débris et blessés jonchant le sol étaient toujours présents dans sa mémoire, où résonnaient encore les vibrations de la détonation et les cris d'horreur des victimes çà et là. D'un pas leste, elle se dirigea vers le comptoir de la compagnie algérienne. Elle eut un moment d'hésitation en apercevant le préposé à la billetterie. Le même jeune homme dévisageant chacun d'un air hautain posa sur elle un regard perplexe. Voyant qu'elle se dirigeait vers lui, il eut un moment de nervosité, puis se ravisa en se souvenant de ce visage, qu'il tentait de rattacher à un événement récent.

– Veuillez valider ce billet pour quatorze heures, fit-elle en posant sur ses petits yeux circonspects un regard froid et vide de toute émotion.

– Alger, observa-t-il en prenant connaissance de la destination sur le document, qu'il s'empressa d'accepter pour se donner une contenance. N'êtes-vous pas celle qui a fait la une des journaux à Paris depuis deux jours ? fit-il, essayant vainement de voiler sa curiosité.

– N'êtes-vous pas ce prétentieux qui m'a retournée de façon si cavalière il n'y a pas si longtemps ? lui renvoya-t-elle sans sourciller. Quant aux journaux, ils ne m'ont pas tenu compagnie ces derniers temps. Veuillez placer cette valise sur le vol correspondant.

Le préposé, légèrement débouté par la répartie de son interlocutrice, jeta un coup d'œil circonspect sur la valise vert et gris dans l'ouverture sous le comptoir. Il redressa le dos et saisit une étiquette dans une case, près du tiroir-caisse.

– Voilà, madame, fit-t-il en sortant un stylo de la pochette de son veston. Comment cette personne accusée d'un pareil crime avait-elle pu recouvrer sa liberté avec une telle rapidité ? pensa-t-il pendant qu'il s'affairait à remplir l'étiquette, qu'il attacha ensuite nerveusement à la mallette.

– Je dois aviser madame que ses effets feront l'objet d'une inspection au même titre que tout ce qui franchit cette rampe, eut-il la force d'avancer, avec un sourire crispé. Il lui remit le talon de son enregistrement tout en se gardant de l'interroger davantage.

– Et voilà votre carte d'embarquement.

– Merci, répondit-elle brièvement en lui jetant un regard noir et en lui tournant rapidement le dos.

– Votre passeport, entendit-elle derrière elle après avoir fait deux pas en direction des fauteuils de la salle d'attente.

La visiteuse se retourna lentement, plongea à nouveau ses yeux d'un bleu sombre sur le visage qui la toisait de moins haut à présent, tendit la main et, d'un geste précis, reprit son passeport encore ouvert sur le comptoir. Impassible, il soutint son regard mais non sans perdre encore un peu de terrain. Puis, se sentant désormais quitte pour l'arrogance qu'il avait eue à son endroit, elle mit fin à l'échange comme si tout n'avait, à présent, plus d'importance. Son regard vidé de toute impertinence, une autre idée s'était emparée de ses pensées.

À laquelle de ses deux filles devrait-elle envoyer un message pour leur confirmer que tout se déroulait sans anicroche ? Qui sait, quelqu'un de leur entourage aurait pu lire, dans un journal français, des informations compromettantes sur les derniers événements et répandre la nouvelle dans la famille ! Elle s'était d'ailleurs engagée à rassurer chacun par des communiqués fréquents sur le déroulement de ce périple.

Revenant à sa préoccupation de l'heure, Andréanne se souvint que passer plus de trois jours sans donner de nouvelles à un membre de la parenté provoquerait de vives inquiétudes de l'autre côté de l'Atlantique. Elle allait signaler le numéro d'Amanda mais se ravisa et opta pour celui de Milaine. Cette dernière, la puînée de ses deux filles, saurait prendre la chose sans crier au drame… ou peut-être le savait-elle déjà ?

Le vol 301 de la compagnie aérienne Air Algérie prenait doucement de l'altitude au-dessus de Paris, dans un vrombissement que les quatre cent soixante passagers écoutaient en silence, chacun dans son monde et ses préoccupations. Certains portaient un turban aux couleurs variées et une barbe noire ou blanche, selon l'âge. D'autres arboraient un tailleur et une cravate à l'européenne. Dans les rangées de sièges vers l'arrière, des couples avec enfants attendaient patiemment l'autorisation d'enlever leur ceinture.

Le fauteuil à droite d'Andréanne était vacant. Au moins, pensa-t-elle avec un sourire de satisfaction, je ne suis pas en mauvaise compagnie. L'avion tangua légèrement, se redressa et, au bout d'un moment, reprit la position horizontale.

De son siège qu'elle avait réussi à obtenir près d'un hublot, car elle affectionnait la vue sur les nuages et les percées de paysage plus bas, Andréanne se remémorait la teinte d'inquiétude dans la voix lointaine de Milaine au bout du fil. Ses rappels à la prudence et sa tentative de ramener sa mère au bercail n'avaient fait que l'ancrer plus avant dans sa décision de poursuivre sa route. La promesse d'un bonheur, aussi lointain fût-il, l'attirait de tous ses feux, là-bas, à Alger, où elle retrouverait celui qui l'avait entretenue avec une sollicitude de tous les instants. Muktar, car tel était bien le nom de l'assidu Camerounais au langage coloré de ses correspondances par courriel et à la voix suave de ses récentes communications téléphoniques, avait poussé la débrouillardise jusqu'à lui procurer le billet d'avion qui allait permettre aux deux soupirants d'unir leurs destinées.

Mais justement, comment avait-il trouvé les ressources pour acheter et lui faire parvenir ces onéreux droits de passage, lui qui, disait-il, avait besoin de son aide pour produire un album de chansons ? Des amis musulmans en Algérie, avait-il mentionné de façon laconique, s'occupaient de régler ce contretemps. Je t'expliquerai plus tard. Pour l'instant, profitons de ces moments précieux sur le fil pour ce qui compte vraiment : notre amour, ce trésor inestimable. Pour nous aimer comme il se doit, nous nous devons d'être ensemble, de nous regarder dans les yeux, d'être l'un pour l'autre et, l'un dans l'autre, corps et âme.

Un discours aussi enivrant avait jeté sur les plaies d'Andréanne un baume d'une indicible douceur. Elle se voyait déjà dans les bras de cet élégant gaillard au teint d'ébène, tel qu'il apparaissait sur les photos reçues par courriel. Ses yeux d'un noir mystérieux, profonds comme les abysses de la mer, semblaient l'attirer et l'inviter avec envoûtement à y noyer un passé de paroles avilissantes et, surtout, d'un silence la conduisant sans cesse au bord d'un gouffre sans fond, de même que son présent d'amertume et de désespoir. Telle une bouée de sauvetage lancée sur les flots déchaînés d'une violente tempête, Andréanne avait saisi cette invitation, venue d'un autre continent, à sauver sa vie, à se refaire une raison d'exister, à échapper à une situation avilissante et malsaine, à renaître à l'amour, à se laisser transporter à nouveau au septième ciel d'un bonheur sans limite. Elle y avait droit et ne laisserait personne gâcher cette chance inouïe de vibrer avec autant d'ardeur. Une pareille occasion ne reviendrait peut-être jamais. Fallait-il risquer de la laisser passer, de la perdre pour toujours ? Non, elle irait au bout du monde pour retrouver celui qui, maintenant, représentait son unique planche de salut, celui que la destinée lui avait envoyé, par les mystérieuses ramifications du réseau cybernétique et qu'elle désirait plus que tout ce qu'elle avait aimé jusque-là.

– Une consommation, madame ?

Andréanne eut un léger soubresaut en entendant la voix de l'hôtesse de bord, debout dans l'allée, lui adressant un large sourire.

– Merci, eut-elle la présence d'esprit de lui répondre tout en apercevant au même moment... non ; était-ce possible ?

De l'autre côté de l'allée centrale, dans la même rangée de sièges, quelqu'un s'était penché et lui avait jeté un coup d'œil à la dérobée. Ce visage balafré au regard sombre et louche, cette barbe noire voilant à demi un rictus sinistre, le souvenir de cette ordure crapuleuse ne lui était que trop familière. Comment Ryand avait-il pu échapper aux limiers français et se retrouver à bord du vol Paris-Alger ? Décidément, certains malfrats ont de la chance. Mais pour combien de temps ? Attends un peu que je te déclare à la police, toi !

Puis, une idée aux ailes sombres vint s'écraser à la fenêtre de ses pensées. Une autre bombe était-elle sur le point d'éclater, en plein vol cette fois ? Sa vie et celle des passagers étaient-elles suspendues au bout d'un fil ? Il fallait user de prudence. Alerter les autorités ne servirait sans doute qu'à précipiter la catastrophe. Et qu'est-ce qui empêcherait Richard Ryand, au moindre mouvement compromettant de sa part, de lui tirer une balle à bout portant, puis de retenir le reste des passagers en otages pour détourner le vol vers un asile de son choix ?

Au fait, ce bandit de l'espace n'aurait pu continuer son itinéraire sous une identité dont la police internationale tenait le signalement. Il avait dû changer de passeport et de nom. Des complices à Paris et ailleurs lui apportaient sans doute leur aide et soutien, qui sait ? Il était peut-être membre d'un réseau ?

L'hôtesse s'éloignait déjà, et la passagère canadienne trembla à nouveau à la pensée que sa vie pourrait bientôt se terminer, avec celle de quelques centaines d'autres êtres innocents, dans un désastre aérien à bord d'une boîte à poudre volante. Voilà donc le pourquoi de cette appréhension, cet instant d'hésitation qu'elle avait ressenti au fond d'elle-même, à son départ de St-Gérard-des-Laurentides. Après avoir tout quitté, après tout ce trajet au-dessus de l'Atlantique et de la Méditerranée, elle allait finir en pièces détachées, à quatre mille mètres d'altitude, ensevelie finalement sous les profondeurs marines, un autre gouffre silencieux, et sans appel cette fois.

Un frisson lui parcourut l'échine. Ses sœurs avaient donc eu raison de la prévenir, d'appréhender pour elle le pire. Au moins, pensa-t-elle en se remémorant son appel à sa fille, et pour ne pas sombrer dans le désespoir, j'aurai eu l'occasion de parler à Milaine une dernière fois.

Mais tout n'était peut être pas irrémédiablement perdu. L'avion filait toujours en direction d'Alger, où l'attendait impatiemment celui qui allait changer sa destinée. À part le chant doux et mélodieux des réacteurs en sourdine, la nef du transporteur et sa cargaison humaine baignaient dans un silence paisible. Se trouvait-il quelqu'un d'autre à bord de ce vol, à part elle-même et ce criminel, qui soit au courant de ce qui se tramait ? Ryand attendrait-il d'être à l'aérogare d'Alger pour y perpétrer un autre attentat ? C'était possible. Dans ce cas, elle avait une chance de s'en tirer. Mais qu'arriverait-il s'il lui remettait à nouveau une mallette à Alger ? Il fallait réfléchir, et vite.

Comme en réponse à ses questionnements, un type dans la vingtaine surgit tout à coup et, sans plus de formalité, vint occuper le siège près d'elle. Il lui jeta un regard froid et stoïque, un regard de faucon épiant sa proie avant de décider du moment propice pour fondre sur elle. Un éclair de nervosité trahissait toutefois le visage dur au teint cuivré du complice de Ryand.

Andréanne fit le geste de se lever en hâte de son siège mais il lui saisit le bras et la retint sur place.

– Restez où vous êtes et gardez votre calme, lui signifia-t-il sans élever la voix. Il ne vous arrivera rien si vous restez coite.

Mais qu'est-ce qu'ils ont tous donc contre moi ? pensa Andréanne en se ravisant. Dans un effort pour voiler sa peur, elle soutint sans défaillir et avec un air de défi le regard autoritaire d'où émanait une lueur de cruauté à peine perceptible chez son agresseur. Ce dernier, un grand brun aux épaules carrées, vêtu d'un tailleur à l'européenne et coiffé d'un chapeau feutre, aurait pu passer pour un homme d'affaires dans la rue ou sur un quai d'embarquement.

Pendant qu'elle le toisait sans sourciller, Andréanne réalisa qu'elle trouvait ce type élégant. Une force tranquille, mais potentiellement explosive, émanait de cet être mystérieux. Elle dévia prudemment son attention vers le hublot en signe de soumission à ce qu'on attendait d'elle.

Avait-elle le choix ? Mieux valait coopérer que de risquer sa vie et celle des quatre cent soixante passagers à bord. Plus tard, il serait encore temps d'aviser.

– Qu'attendez-vous de moi ? demanda-t-elle à mi-voix, tout en essayant de calmer son trouble intérieur.

– Très bien, enchaîna l'étranger sur un ton plus conciliant. D'abord, faites comme si de rien n'était et lorsque nous serons à Alger, marchez naturellement à côté de moi jusqu'aux douanes à l'intérieur de l'aérogare. Des instructions supplémentaires vous seront fournies en temps et lieu.

– Pourquoi moi ? se risqua-t-elle à ajouter.

– Je n'ai pas de compte à vous rendre. Rappelez-vous seulement que vous devez coopérer si vous tenez à la vie.

– Hum, citoyenne canadienne, murmura le douanier en ouvrant le passeport de la Québécoise. Votre visa stipule que votre séjour en Algérie ne doit pas dépasser deux mois. Vous avez un billet de retour ?

– Le voici, indiqua Andréanne d'un geste furtif, en jetant à la dérobée un coup d'œil au sinistre compagnon qui l'avait précédée et l'attendait calmement, les yeux rivés sur ses moindre gestes.

– Bon séjour en Algérie alors, souhaita le douanier en lui remettant son passeport.

Elle n'eut ensuite d'autre choix que de se diriger vers celui qui lui imposait une attente à laquelle elle était déjà soumise. Comme une brebis qu'on conduit à l'abattoir, Andréanne s'en remit à celui qui tenait la corde. À peine eurent-ils fait quelques pas vers la salle d'attente que le deuxième larron les rejoignait, ce qui eut pour effet d'accentuer chez la victime le sentiment que ses chances de s'en tirer avaient encore diminué.

– Prenez ce fauteuil, lui intima Ryand, les serres de son regard de faucon rivées sur elle.

Muette d'appréhension, la prisonnière obtempéra, ne sachant où la conduiraient ses deux gardes-chiourme. Autour d'eux, la foule de l'aérogare déambulait, chacun occupé à son itinéraire. Un couple dont la dame tenait un chiot dans les bras suivait un chariot de valises que poussait un valet de gare. Le va-et-vient était intense à cette heure où un transporteur en provenance d'Europe venait de vider son contenu à ce point d'arrivée dans le nord de l'Afrique. Eh bien oui, pensa Andréanne, je suis bel et bien en Afrique ; mais dans quelle situation ! Et quelles sont mes chances de m'en tirer ? Ça, c'est moins certain. Mais je suis toujours vivante, et là où il y a de la vie...

– Attendez-nous ici ; nous serons de retour dans une demi-heure environ, lui ordonna l'homme au tailleur européen que Ryand avait appelé Ahmed et qui était, de toute évidence, le meneur des opérations.

Mais que mijotent donc ces deux escrocs ? se demanda la voyageuse, qui cherchait du regard un planche de salut.

– Au cas où il vous prendrait l'idée de vous enfuir, ajouta Ryand qui avait observé son geste, souvenez-vous que vous serez surveillée étroitement jusqu'à notre retour. Ne parlez à personne et si vous tenez à la vie, suivez nos instructions sans déroger d'une ligne.

Laissée à elle-même, Andréanne se sentit soulagée. Elle regarda autour et constata que cette aérogare n'avait pas le lustre et l'espace des installations aéroportuaires d'Orly. En effet, les lieux étaient plus exigus et ne déployaient pas le modernisme de Mirabel, par exemple. Dieu merci, ces deux gaillards ne lui avaient pas enlevé ses effets personnels. Une chance d'échapper à ses agresseurs s'offrirait peut-être à elle avant leur retour. Il fallait tenir l'œil ouvert et ne pas rater une occasion.

Une dame voilée vint prendre place sur le fauteuil à côté du sien. Andréanne lui sourit mais se garda de lui adresser la parole. Celle-ci baissa le voile et lui rendit son sourire. Ses yeux d'un noir profond dégageaient une impression de bonté toute spontanée et de douceur presque enfantine.

Était-elle de connivence avec ses agresseurs ? Tout portait à croire que non. Elle était, pour le moment, une occasion rêvée d'établir un contact sur place et d'obtenir de l'aide.

La foule des passants avait diminué en intensité. La plupart des passagers du vol Paris-Alger de même que ceux venus les accueillir ayant quitté le bâtiment, il ne restait plus que quelques voyageurs en attente d'un départ et le personnel s'occupant du contrôle et de l'entretien des installations portuaires.

Andréanne observa discrètement autour d'elle en se demandant si quelqu'un était effectivement en train de la surveiller. La mise en garde de ses agresseurs n'était-il en fait qu'un moyen de gagner du temps pour prendre le large ? Possible. Mais cet homme au turban à l'autre bout de la salle, en train de lire un journal, ne levait-il pas les yeux vers elle de temps à autre, et celui-là, dans l'autre direction ? Il ne la regardait pas, mais il était tourné vers elle depuis un moment. Il fallait agir avant que ses agresseurs reviennent. Elle prit une revue à même ses effets personnels, fit mine de s'absorber dans sa lecture et, sans tourner le regard vers sa voisine, elle lui murmura :

– Vous parlez français ?

La musulmane baissa le journal, la regarda pour s'assurer qu'on lui avait adressé la parole et répondit par l'affirmative avec un fort accent étranger.

– Je suis en danger, enchaîna la Canadienne en relevant sa revue et tout en regardant autour si on les observait. Ne faites pas voir que vous me parlez, il se peut que je sois surveillée. Pourriez-vous m'aider ? la supplia-t-elle.

La dame au voile releva son journal à son tour et l'informa qu'elle était Éthiopienne et en route pour Moulay Ibrahim, un village marocain à flanc de colline au pied des Atlas et non loin de Marrakech.

– Je fais tous les ans un pèlerinage à cet endroit béni que le prophète Abraham des temps bibliques a honoré de sa présence. Je suis Jémila. Que puis-je faire pour vous aider ?

Encouragée par cette créature affable et discrète, Andréanne reprit son souffle et un peu d'espoir.

– Voilà, fit-elle d'une voix feutrée ; marchez jusqu'à la boutique là-bas et pendant que vous regardez les articles en vente je m'assurerai que personne ne vous épie. Si tout semble normal, je vais baisser ma revue et croiser la jambe. À ce signal, vous irez vers le gendarme près du comptoir et l'attirerez discrètement à l'ombre des regards pour lui dire que je suis en danger et que je requiers sa protection.

– Qu'Allah vous vienne en aide, fit l'Éthiopienne avant de s'éloigner.

– Et que Dieu vous protège, fit en écho celle à qui un regain d'espoir permettait à présent de croire que tout n'était pas perdu.

– Veuillez nous suivre, Madame, ordonna un des deux policiers venus à la rencontre de la jeune étrangère.

Andréanne obtempéra, non sans jeter un coup d'œil circulaire avant de quitter son siège dans la salle d'attente. Flanquée de ces deux gardes du corps, elle sentit ses forces l'investir à nouveau. Sauvée, pensa-t-elle en poussant un soupir de soulagement. Mais au moment de quitter la salle d'attente, elle avait vu le type au turban se lever et regarder dans sa direction d'un air farouche. Il avait fait quelques pas les mains plongées sous sa djellaba, mais s'était assis à nouveau sans se compromettre.

– Vous avez besoin d'aide, fit l'un des gendarmes sur un ton aimable.

Andréanne raconta ce qui lui était arrivé depuis son départ de Montréal, ses craintes et sa volonté de retrouver Muktar.

– Vous avez les coordonnées de ce jeune homme ? s'informa l'officier à la casquette.

– Voici, fit-elle en lui tendant un billet pendant que le deuxième gendarme attendait à la porte du bureau où se déroulait l'enquête, en retrait du public.

L'officier signala et obtint la communication. À l'autre bout du fil, une voix informa l'agent que Muktar était sorti faire des courses. Il fallait attendre plus tard. Andréanne se sentit rassurée tout en déplorant l'absence de celui qu'elle aurait désiré, plus que tout au monde, retrouver sans plus tarder.

– Vous pouvez attendre ici si vous le désirez, lui offrit son hôte. Je dois aller patrouiller autour de la gare, mais mon aide demeurera sur place pour surveiller et vous venir en aide en cas de besoin.

Après le départ de l'officier de police, Andréanne sentit que ses chances de se sortir du pétrin s'étaient améliorées. Si je réussis à retrouver Muktar, pensa-t-elle, je serai en sécurité. Elle le savait débrouillard. N'avait-il pas réussi à la faire venir jusque-là ? Et ne s'était-il pas rendu jusque dans ce pays pour la rencontrer ? Du Cameroun à Alger, le périple comprenait la traversée d'un immense désert, celui du Sahara. Il était familier avec le monde arabe, comme sans doute la plupart des Africains dont les pays longent la ligne du Maghreb. Elle eut l'idée de sortir son ordinateur portatif de ses bagages et de l'installer sur le bureau de son protecteur, histoire de passer le temps à quelque chose d'utile. Elle écrivit une missive à l'aînée de ses sœurs, Simone. Elle n'aurait qu'à brancher son appareil sur le web à la première occasion pour lui faire parvenir son message par courriel.

Absorbée dans sa tâche, elle n'avait pas vu filer la demi-heure qui suivit lorsqu'elle entendit ouvrir la porte. Elle sursauta.

– Vous semblez occupée, observa le policier en déposant sa casquette sur le coin du bureau. Je vais signaler à nouveau le numéro de téléphone de votre ami, si vous le voulez bien.

– Je vous en prie, allez-y !

Cette fois, le résultat fut concluant. Muktar était de retour et attendait avec impatience des nouvelles de sa douce princesse, comme il l'appelait parfois dans les entretiens téléphoniques qu'il avait eus avec elle. Il était tellement impatient de la rencontrer qu'il allait sauter dans le premier taxi et la rejoindre sur-le-champ.

Toute à la joie intense de voir enfin cet être qu'elle avait appris à aimer à distance avant même que leurs chemins ne se croisent, Andréanne rangea son ordinateur d'un geste rapide en oubliant les périls qu'elle avait encourus jusque-là et qu'elle encourrait encore en quittant la garde de ses protecteurs. Le policier de faction lui remit ses coordonnées, l'enjoignant de faire appel à son aide en cas de besoin, et l'accompagna à la sortie de l'aérogare, jusqu'au débarcadère près de la rue. Un cab ne tarda pas à surgir et vint s'arrêter près de la rampe où Andréanne attendait, ses bagages à bout de bras et un trépignement dans le bas du ventre.

Un jeune homme au teint d'ébène émergea de la voiture et se présenta à elle en lui tendant les bras. Il était encore plus beau qu'elle se l'était imaginé d'après les photos reçues de lui par courriel. Ses yeux rieurs et son sourire éclatant du bonheur de la rencontrer firent de ce grand gaillard un solide refuge grâce auquel ses frayeurs se volatilisèrent, comme un frimas printanier sous les rayons chaleureux d'un soleil ardent. Après six mois d'attente et d'échanges informatisés par lesquels ils avaient appris à se connaître, après les appels téléphoniques où ils étaient devenus plus familiers, l'amitié avait grandi au point que se développent entre eux une attirance et un sentiment que la distance n'avait fait qu'amplifier.

Lorsque, en fin de course, Muktar lui avait avoué cet amour qu'il sentait grandir au plus profond de son être, elle avait ressenti en elle une douce mélodie lui ouvrant le passage sur un univers de joie dont elle avait depuis longtemps oublié l'existence. Une fleur d'une beauté éclatante s'était mise à s'épanouir dans le jardin secret de ses rêves. Que fallait-il de plus à un oiseau aux ailes brisées pour prendre à nouveau son envol ? La possibilité de réduire la distance à néant, de se mirer dans le regard de l'autre, de le toucher, de le caresser, enfin de satisfaire l'irrésistible envie d'occuper le même espace, elle avait dû attendre ce moment depuis si longtemps et voilà que cette réalité était sienne. Il était là devant elle. Et elle se sentait comme paralysée, incapable de s'élancer dans ses bras. Quelque chose la retenait. Était-ce toute cette attente passée à contourner les obstacles à la réalisation de leurs vœux, à trouver les ressources pour les billets d'avion, ou les dangers encourus en cours de route qui dressaient en fin de course un dernier obstacle, une raison faisant de ce moment un semblant d'illusion, une impression de rêver et que rien de tout cela n'était vrai ?

– Vous êtes bien Andréanne ? risqua-t-il avec une légère hésitation dans la voix.

Au timbre familier et chaud de cette voix qu'elle avait appris à chérir à l'autre bout du fil, l'étrangère, dans ce continent nouveau et inconnu, sortie de sa léthargie, laissa tomber ses valises et s'avança vers le nouveu venu dans un élan qu'elle avait anticipé depuis déjà trop longtemps. Le policier qui les regardait s'étreindre et qui en avait vu d'autres, resta figé sur place et muet d'étonnement à la vue de l'impétuosité qui reliait ces deux êtres tellement différents l'un de l'autre. Lui, au début de la vingtaine et elle dans la trentaine avancée, de couleurs diamétralement opposées, l'une de l'Amérique et l'autre de l'Afrique, comment cette relation en était-elle arrivée à ce point ? se questionna-t-il en se grattant le chef, sous le rebord de la casquette, d'un air perplexe.

– Hum, hum, se racla-t-il la gorge, s'apprêtant à prendre congé. Je crois que vous êtes entre bonnes mains à présent. Si vous avez à nouveau besoin de mes services, vous savez comment me rejoindre.

– Qu'est-ce qu'il y a, belle princesse ? s'informa Muktar le visage encore rayonnant d'une joie intense.

– C'est grâce à ce gendarme si je suis avec toi en ce moment béni. Je t'expliquerai lorsque nous serons seuls, poursuivit-elle avant de remercier le policier de ses bons offices.

– L'Iman Ben Al Saoui, indiqua Muktar à Andréanne, d'un geste révérencieux à l'endroit du chef de la spacieuse villa et du clan familial.

– Qu'Allah vous bénisse, mon enfant, lui souhaita calmement, en guise de bienvenue, l'homme au teint brun, sur un ton aimable qui n'arrivait cependant pas à voiler une allure de respect et d'autorité.

Un turban blanc et une barbe d'un noir charbon décoraient le visage de l'hôte. Une longue robe d'une étoffe laineuse et brune achevait de donner, à ce personnage en possession de ses moyens, une sérénité digne de celui qui préside à de grandes occasions.

– Asseyez-vous, indiqua l'Iman à ses invités, la main tendue vers les coussins sur le parquet du salon, recouvert de marbre mais dont un épais tapis turc de forme ovale occupait le centre.

Les murs ornés de riches draperies importées d'Égypte révélaient l'aisance de cette famille arabe, dont l'opulence semblait découler d'un commerce lucratif. Andréanne et Muktar s'exécutèrent avec la déférence due à un personnage de marque.

– Mon épouse, Fatma, indiqua Ben Al Saoui, en désignant l'une des deux femmes en retrait, et ma fille, Irma.

Sur un geste du maître, elles dévoilèrent un visage agrémenté d'un large sourire et penchèrent légèrement le corps en guise de salutation à l'endroit des visiteurs.

– Mon fils Abdoul, fit Ben Al Saoui de la main, et mon associé dans les ventes de pétrole, Ahmed Kandarchi.

Ce dernier, à l'allure de dignitaire, se tenait un peu en retrait du groupe. Il s'avança d'un pas et attendit stoïquement que les invités lui fassent une révérence. Muktar, qui avait déjà un pied dans les usages arabes, s'exécuta le premier et dirigea ensuite son attention vers Andréanne, qui ne mit pas longtemps à comprendre ce qu'on attendait d'elle. Une lueur de satisfaction éclaira légèrement le visage d'Ahmed Kandarchi, qui demeura toutefois impassible devant la courbette maladroite de la blanche étrangère.

Le maître de céans fit un signe discret et une servante surgit avec un plateau d'argent sur lequel se trouvaient un service et une carafe fumante de thé à la menthe qu'elle plaça sur une table basse au milieu du salon. La gent masculine prit place sur les coussins autour de la table et la servante se retira discrètement, de même que les deux femmes arabes, vers une autre pièce de la maison.

– Mon épouse vous entretiendra dans son salon privé, expliqua courtoisement Saoui à Andréanne, qui n'eut d'autre choix que de suivre la gent féminine en retrait de ce huis clos dont elle se sentit expressément exclue.

Une autre pièce, aussi somptueuse que la première et drapée de soieries d'un vert émeraude, attendait la visiteuse et son escorte, qui prirent place autour d'un service déjà en attente sur un buffet de marqueterie délicatement taillée. Fatma, Irma et une autre dame qui venait de se joindre au groupe s'installèrent autour du buffet et enjoignirent Andréanne d'en faire autant.

– Jemila est l'épouse de mon fils Abdoul, lui expliqua l'hôtesse de la maison. Soyez la bienvenue en Algérie.

Vêtue d'une élégante robe de satin bleu clair ceinturée d'un cordon qui lui pendait le long des jambes, Jemila courba légèrement la tête et se redressa en replaçant ses cheveux noirs et longs vers l'arrière.

– Votre voyage s'est bien passé? fit-elle avec un sourire d'où jaillissait une curiosité toute spontanée.

– Le début s'est mal présenté.

– Pour quelle raison?

– Eh bien, personne ne m'avait avisée de la procédure complète en ce qui touche les formalités avant un vol international.

– Il vous manquait la carte d'embarquement!

– Non, bien pire.

– Pas le passeport? murmura Irma, une ombre sur le visage qu'elle avait d'un brun pastel.

– Dieu merci, j'avais mon passeport, mais il y manquait le visa, le permis de séjour en Algérie sans lequel on ne pouvait valider mon billet d'avion.

– Qu'avez-vous fait?

– J'avais douze heures avant le départ. On m'a recommandé l'ambassade algérienne à Ottawa.

– C'était loin? s'informa Fatma, chez qui l'intérêt allait grandissant.

– La capitale du Canada est à quelque deux cents kilomètres de Montréal. Donc, retour au centre-ville et me voilà dans l'autobus vers Ottawa, où je rencontre par hasard un type qui avait un contact à l'ambassade d'Algérie.

– Il s'est rendu avec vous à l'ambassade?

– Non, mais il m'a remis sa carte de visite, ce qui m'a introduite de facto à l'attaché politique de l'ambassadeur une fois sur place. Le visa en poche, le retour s'est fait de nuit vers Montréal. Il me restait à peine le temps de me rendre à Mirabel pour le départ vers l'Europe.

– Une course, alors!

– Oui, c'est le mot. J'ai pris le premier taxi près du terminus d'autobus et j'ai attrapé mon vol de justesse.

– L'important, c'est que vous soyez là, se réjouit Jemila, dont un éclair stria les yeux qu'elle avait d'un noir aussi profond que celui des Mille et Une Nuits.

– Ce que je suis impardonnable, réalisa Andréanne après un moment d'hésitation. Je suis là à parler de moi et je ne sais rien de vous.

Les trois Algériennes s'échangèrent un regard à la dérobée et les deux plus jeunes se tournèrent vers l'aînée, qui poursuivit :

– L'Algérie, mon amie, est un pays de soumission et d'insoumission. La femme, d'abord, est soumise à l'homme depuis à peu près toujours. L'homme peut disposer de sa femme et de ses filles comme bon lui semble. Si elle se rebelle, il a tous les droits sur elle. Et je vous fais grâce des détails sur les conséquences qui en découlent.

– Je n'ai pas l'impression d'être tombée au bon endroit, observa la visiteuse d'une petite voix.

– Passons pour la femme, poursuivit l'hôtesse en esquissant un geste rapide du revers de la main, comme pour chasser une bestiole indésirable. Le pays lui-même fut longtemps soumis à l'occupation française mais, dès 1938, les cheiks préparaient dans les « médersas » (écoles coraniques dans l'enceinte des mosquées) le soulèvement de 1954 contre le pouvoir temporel. L'insoumission nous a libérés de l'occupation étrangère.

– Vous êtes à présent un pays libre ?

– Loin de là, poursuivit Fatma, dont la voix se fit plus circonspecte. Le citoyen ordinaire est soumis à deux autres pouvoirs. Celui d'une poignée de familles qui contrôlent les richesses du pétrole et les finances publiques, pendant que la grande majorité croule sous le joug d'une pauvreté abjecte. Le second pouvoir est d'ordre religieux. Vous découvrirez bientôt ce qu'il en est.

– Vous me donnez des frissons, constata Andréanne, qui réalisait à peine dans quel bourbier elle venait vraisemblablement de poser le pied.

– Sans vouloir vous effrayer, je dirai que vous n'êtes pas au terme de vos frissons, en particulier si la soumission n'est pas un attribut de votre nature. D'ailleurs, la soumission à Allah et à sa volonté, que dicte le Coran, est bien douce. Elle semble sans doute exigeante et sévère à vous, Occidentaux, mais elle est une route sûre qui mène ses fidèles aux verts pâturages d'une félicité toute céleste.

Au nom d'Allah, que prononça Fatma, les deux jeunes musulmanes fermèrent les yeux et courbèrent légèrement l'échine en signe de respect et de recueillement. La nouvelle venue en prit note de façon discrète, tout en posant sa tasse vide sur le buffet au centre du cercle qu'elles occupaient.

– Encore un peu de thé, demanda Jemila en faisant un geste en direction de la servante restée en retrait au fond de la pièce.

Celle-ci apporta une carafe d'eau en ébullition et la déposa sur le plateau d'argent, à la place de l'autre qu'elle emporta en retournant vers la cuisine. Fatma s'approcha de la table, souleva délicatement le couvercle et déposa quelques vertes feuilles de menthe sur le liquide fumant. Elle remit le couvercle en place et laissa infuser la menthe, qui répandit son arôme exquis à la ronde. Andréanne en eut les papilles olfactives sollicitées au point de déclarer que jamais de son existence elle n'avait goûté à une boisson aussi excellente. Fatma la remercia d'un sourire dont se dégageaient tout le charme et l'élégance d'une dame de haut rang.

Dans l'habitat, genre motel, où se retrouvèrent Andréanne et Muktar, les deux visiteurs furent enfin seuls. Ce dernier referma la porte et se tourna vers celle qui avait tout quitté pour venir jusqu'à lui. Il la regarda tendrement et s'approcha d'elle lentement. L'éclat de joie, sur le visage de celle-ci, trahissait cependant l'ombre d'une appréhension qu'elle ressentait vaguement et n'arrivait pas à s'expliquer. Était-ce le refoulement de tout ce qui lui était arrivé ces derniers jours ? Le dépaysement de se retrouver dans une contrée étrangère, un environnement pour le moins insolite, une culture et des valeurs diamétralement opposées à tout ce qui avait été son univers depuis tant d'années, la part d'inconnu que lui apportait la rencontre de celui avec qui il lui restait à se familiariser : tous ces éléments mettaient ses nerfs à rude épreuve et formaient une boule effervescente quelque part dans l'arrière-plan de ses émotions.

Mais il était là, cet être qui lui avait parlé avec tant de délicatesse. L'image qu'elle s'était faite de cette voix au bout du fil la reliant à un autre continent faisait place à une réalité encore plus éclatante. Le regard amoureux du jeune Camerounais coulait sur son cœur désabusé par tant d'années d'étouffement comme un baume vivifiant sur les plaies d'un rescapé. Elle laissa tomber sa valise et se blottit dans ses bras.

Pour la seconde fois depuis son arrivée à Alger, elle éprouva l'agréable sensation de se fondre dans un univers de douceur où elle aurait souhaité rester à demeure. La fatigue et les tensions du voyage s'envolèrent comme des oiseaux noirs sous un fort vent d'automne.

En ce moment, un bien-être intense remplissait les moindres espaces d'un silence qui jusqu'alors avait été le gouffre de son existence. Andréanne sentit à nouveau monter la vie de ce tréfonds sombre et orageux qu'elle avait si bien connu. Les regards plongés l'un dans l'autre avaient remplacé tout besoin de paroles. Elle ferma lentement les paupières et sentit la chaleur de son souffle sur son visage. Puis, une pression à peine perceptible effleura ses lèvres. D'un geste spontané, elle enlaça son compagnon et l'attira tendrement près d'elle. Un baiser d'une douceur infinie acheva de réduire ses réticences à néant et son monde bascula soudain dans un univers où des oiseaux géants se profilaient à tire-d'aile à travers des touffes de nuages duvetés.

Pendant que montait en elle la douce mélodie d'un bonheur croissant, il la souleva de ses bras forts et vigoureux et la déposa lentement sur la couverture moelleuse du lit, au centre de la pièce.

– Vous voilà sur l'aire d'atterrissage, belle princesse, vous avez bien mérité un peu de repos après ce long trajet, lui souffla-t-il à l'oreille. Et nous avons longuement attendu ce moment merveilleux.

– J'avais depuis longtemps perdu le souvenir d'un pareil enchantement. Muktar, tu es encore plus beau que dans mes rêves les plus débridés. D'où te vient un corps d'athlète aussi séduisant ?

– J'ai été pêcheur dans mon village au Cameroun. Vous savez, il faut ramer de longues heures dans ce métier.

Puis, il lui souleva lentement son chandail, appréciant chaque détail de cette blancheur qu'il couvrit de baisers passionnés. Elle lui rendit ses caresses et savoura à long traits l'envoûtement que lui procuraient ses lèvres tantôt sur les siennes, et tantôt en train de vagabonder ailleurs sur elle, avec un plaisir insatiable. Dénouant ensuite le dernier obstacle au dévoilement de ses secrètes rondeurs, il resta bouche bée d'admiration devant la beauté toute nue de cette double apparition. La caresse de ce regard émerveillé déclencha chez la jeune femme un désir débordant d'étancher sa soudaine envie de s'unir corps et âme avec cet être qui comblait, jusque-là, ses attentes les plus chères.

– Un sculpteur accompli n'aurait pu tailler un corps d'une beauté aussi parfaite, avoua-t-il, en transe devant ce corps d'albâtre qu'il lui était donné de contempler en ce moment de rêve. Ses doigts s'avancèrent timidement et effleurèrent le contour de ces resplendissants chefs-d'œuvre qu'il caressa délicatement de la langue et du bout des lèvres.

Le plaisir qu'elle en ressentit alla s'intensifiant au point où elle se demanda si dans son for intérieur quelque partie d'elle même n'allait pas éclater. Ses mains à elle aussi, par un mouvement fébrile, faisaient office d'antenne dans une exploration qu'il n'était pas seul à conduire. La chaleur quasi tropicale de la saison estivale algérienne ne faisait que redoubler l'ardeur de ces deux êtres que le destin semblait lancer dans une direction concurrente inévitable. Il était désormais trop tard pour souhaiter ou vouloir qu'il en soit autrement.

– Vous avez les jambes d'une déesse, fit-il entre deux caresses. De ma vie je n'ai rencontré une femme aussi séduisante. Cléopâtre, à mon avis, n'aurait été qu'un pâle reflet d'Andréanne, s'il avait été donné à Jules César de vous admirer.

– Allons donc, vous me faites languir, haleta-t-elle en le caressant à son tour.

Dans un mouvement de passion ayant largement dépassé le cap de la modération, les deux corps s'unirent et ne formèrent plus qu'un. Une fois de plus, l'univers d'Andréanne bascula, mais cette fois, dans un monde de délire dans lequel la quintessence de son être était devenue un océan englobant le vaste univers. Il lui semblait être partout à la fois. Les millions d'humains, ses pensées même, tout se fondait dans ce réservoir fluidique aux proportions cosmiques.

Vidés par l'intensité de leurs ébats, les amants retombèrent épuisés sur la couche en friche ayant servi de rampe de lancement à leur envol amoureux. Andréanne revint peu à peu à elle et constata, avec une touche de réalisme, avoir perdu la souvenance de moments semblables au cours de son existence. Depuis des années que tout était en suspens dans le ciel de ses sentiments, où l'amour et l'érotisme rivalisaient par leur absence la plus complète. Cette vague de bonheur et d'une jouissance toute légitime avait eu sur son île déserte l'effet d'un raz-de-marée. Frustrations antérieures, fatigue, colère, haine, incapacité à se rendre aimable à son entourage, humeur maussade, tout avait été emporté par les effluves d'un soulèvement bien au-delà des plaisirs sensuels du quotidien. Son univers avait désormais changé. Les murs et les meubles de cette mansarde, malgré leur couleur terne, offraient à cette conscience nouvelle qu'elle portait à présent sur son entourage le chatoiement pittoresque d'un éclat renouvelé.

Muktar se tourna dans sa direction et posa, sur elle, le regard attendri qui l'avait transporté dans le monde féérique où n'entrent que ceux qui, par mérite ou par chance, ont trouvé la route pour y accéder.

– Ma belle princesse, les mots sont inaptes à te décrire ce qui vient de m'arriver.

– Je sais, murmura-t-elle avec ce qu'il lui restait d'énergie. Je ne me suis jamais sentie aussi comblée ! J'ai malgré tout quelques picotements à l'estomac.

En effet, hormis les frugales friandises offertes par Fatma chez l'Iman Ben Al Saoui, elle n'avait rien mangé depuis le matin, à son départ de Paris. Son ventre lui rappelait d'ailleurs le besoin urgent qu'elle avait de lui donner quelque attention à cette heure tardive de l'après-midi.

– Ce fumet est délicieux, ma foi!

– Une tajine, rectifia Muktar, qui observait sa compagne depuis un moment.

– Et ce riz... différent, tout de même.

– Ah, ça, c'est le couscous arabe. On me dit que vous en avez à Montréal.

– Les grandes villes nord-américaines regorgent de restaurants exotiques. Sans doute se trouve-t-il des marchés d'importation arabes et orientaux où l'on peut se procurer tout ce que les nouveaux venus désirent retrouver de leur pays.

Un serveur passa et s'informa si les convives désiraient boire quelque chose. Andréanne se souvint du thé à la menthe qu'elle avait hautement apprécié, chez ses hôtes arabes, et en commanda un carafon.

– Au fait, s'informa-t-elle, qu'as-tu appris dans ton entretien avec l'Iman Saoui en après-midi?

– Saoui? fit-il avec un sourire invitant à la confidence. L'Iman Ben Al Saoui semblait satisfait que nous soyons sous sa protection. Tu sais, il a fait beaucoup pour nous et c'est un type qui a une influence considérable sur son milieu.

– Vraiment!

– Oui, lui et son associé Yussef ont avancé les fonds pour ton billet d'avion de Montréal à Alger.

– Ma reconnaissance leur est assurée, mais... ils doivent bien s'attendre à quelque chose de nous !

– Eh bien... poursuivit l'Africain après hésitation. Ce sont des musulmans. Et comme chacun prêche pour son clocher, dans ce cas c'est pour leur mosquée. Je me doute un peu qu'ils vont exiger quelque chose. Nous verrons bien.

– Muktar, pourquoi ne m'as-tu pas prévenue de tout ceci ?

– D'abord, mon entente avec eux ne prévoyait rien en ce sens. Hier, chez nos hôtes, on m'a fait voir autre chose.

– Quoi donc ?

– Rien de précis. Mais nous le saurons bientôt. L'Iman et son associé seront ici pour nous en parler dans quelques instants.

Andréanne ajouta un cristal de sucre à son thé et porta la tasse à ses lèvres. Une ombre passa sur son front. Elle s'efforça de refouler une appréhension qui montait lentement en elle comme un nuage à l'horizon. Une porte s'ouvrit et elle crut reconnaître, sur les visages des deux arrivants coiffés de turbans et vêtus d'amples pantalons bouffants, le sourire calme et autoritaire de l'Iman et de son associé. Ils échangèrent quelques mots avec le tenancier de la maison, qui leur fit un signe discret vers leurs invités.

En les voyant venir, Muktar se leva et salua les deux Arabes, qui s'attablèrent devant eux. L'Iman Al Saoui prit le premier la parole en regardant chacun calmement pendant quelques instants. Muktar lui opposa un air de franche gaieté tandis que sa compagne resta de marbre, tentant vainement de voiler cette crainte qu'elle ressentait depuis l'arrivée impromptue des nouveaux venus.

– Nous espérons que votre séjour au pays d'Allah a débuté à la hauteur de vos attentes.

– Et que vous en attendez tout le bien que nous vous souhaitons nous aussi, renchérit Yussef, l'aubergiste, d'un geste ostentatoire en posant sur la table un bouquin à couverture noire titré en lettres arabes dorées. C'est notre livre le plus précieux, le livre sacré, notre vénéré Coran. Les deux musulmans fermèrent à demi les paupières et inclinèrent respectueusement la tête en observant un court silence devant le texte sacré.

Andréanne retint son souffle, ne sachant quelle attitude adopter dans les circonstances. Ces gestes à teneur rituelle laissaient présager que les propos à venir prendraient une tournure importante.

– Vous n'ignorez sans doute pas qu'Allah est heureux et même impatient de vous faire une place dans son cœur divin. Il aimerait également que vous lui en fassiez une dans le vôtre. Et nous serions heureux de participer à ce cadeau grandiose, d'être les agents de ce partage en vous initiant à la joie de le connaître.

– Iman Al Saoui, fit le Camerounais, nous sommes honorés de votre offre ; est-elle accompagnée d'un choix à notre endroit ?

– Allah aime voir venir ses enfants à lui librement. Cependant, pour leur bien, et dans certains cas, il faut leur fournir l'encouragement de notre sollicitation bienveillante.

– Qu'est-ce à dire ? intervint Andréanne, qui commençait à sentir qu'en tant que femme elle n'avait pas voix au chapitre.

Dans un silence lourd de reproches, les deux musulmans la lapidèrent des yeux. Celle-ci soutint leur regard sans sourciller.

– La méthode du prophète est également celle que l'on prône. Il est donc impératif de vous offrir un choix, reprit l'Iman sur un ton solide, en se tournant à nouveau vers l'Africain.

– Ce qui suit est de mon ressort, intervint posément Yussef, qui semblait particulièrement doué de présence d'esprit.

Avec le calme bien dressé d'une intelligence rapide et pratique, Yussef avait le charisme d'un leader populaire. Sa faculté à suivre attentivement trois conversations à la fois, tout en intervenant avec tact et au bon moment dans chacune d'elles, lui donnait une avance naturelle pour pouvoir influencer une décision dans des pourparlers, à imposer son opinion dans des causes importantes.

– La somme d'argent que nous vous avons avancée pour ce voyage jusqu'ici nous est due. En attendant ce remboursement complet, notre seule garantie est votre présence parmi nous et la façon dont nous jugeons bon de l'utiliser, ajouta l'homme d'affaires, d'un air cirsconspect.

– Comme je l'expliquais à mon compagnon, se permit d'intervenir une seconde fois Andréanne, je dois recevoir ma part d'une somme importante provenant de la vente d'une maison à St-Gérard-des-Laurentides, au Québec. Vous serez remboursés dès la rentrée de ces fonds.

Les deux Arabes restèrent impassibles. L'Iman leva le premier le regard sur son interlocutrice, la toisa en silence et reprit à voix basse :

– L'intention est digne de considération. Cependant, la réalité ne se borne pas à la seule intention, si louable soit-elle. En attendant que se concrétise votre promesse, il vous faudra devenir musulmans tous les deux. Une fois votre dette remboursée, eh bien vous pourrez disposer comme bon il vous semblera.

Andréanne eut un haut-le-cœur en réalisant dans quel pétrin elle venait de se mettre les pieds. Elle, musulmane, tchador au visage, dans une mosquée à se prosterner vers la Mecque, plusieurs fois par jour ; et qu'exigerait-on d'elle une fois qu'elle serait sous leur emprise ?

Il ne lui restait qu'une option : négocier. Elle n'arriverait sans doute pas à s'imposer à ce commerçant rusé mais elle n'avait pas, non plus, l'habitude de laisser tomber les armes à l'approche de l'ennemi. De plus, l'argument à leur opposer devait se fonder sur du concret, du réel. Cette rentrée d'argent était imminente parce qu'elle avait su par courriel que la maison conjugale avait été vendue et que sa part de la vente serait déposée dans son compte de banque. Voilà, se dit-elle en reprenant ses moyens. Réglons-lui cette dette au plus tôt.

– Iman à qui nous sommes redevables, nous serions fort ingrats de ne pas vous offrir notre reconnaissance et de ne pas honorer nos obligations dans les meilleurs délais. J'aurai très bientôt, en banque, les fonds pour vous rembourser les avances consenties pour mon séjour en Algérie.

– Tant que que la somme n'est pas dans notre compte, ces attentes ne sont que de l'abstrait, répondit Yussef, redressant le torse en signe de non acceptation.

– Il ne s'agit que de quelques jours tout au plus, plaida Adrianne dont la voix essayait de réprimer un mouvement d'impatience. Les transactions sont rapide dans le web et un transfert de fonds nécessite tout juste un instant de doigté sur le clavier, au moment opportun.

– En attendant, il serait opportun que vous vous présentiez ce soir à la mosquée du quartier pour la prière, fit l'Iman. J'y serai et vous remettrai les instructions à suivre pour les jours à venir.

Le jeune Camerounais tendit la main et accepta, d'un air incrédule, le billet sur lequel étaient inscrits le nom et l'adresse de la mosquée en question.

– Mais je suis chrétien ! s'exclama-t-il en sourdine, le visage renfrogné.

– Musulman ! Vous êtes musulman par la grâce d'Allah. Remerciez-le de son insigne faveur de vous accueillir dans la grande famille de ses enfants bien-aimés, prononça solennellement l'Iman en signe de consécration officielle.

– N'avons-nous rien d'autre à ajouter ? se moqua Andréanne, qui n'arrivait pas à croire que ses hôtes se jouent de sa dignité de façon aussi cavalière.

Si l'impression de sarcasme effleura de quelque façon l'esprit des hôtes, ils n'en laissèrent rien paraître et Yussef afficha un cordial sourire en commandant une autre carafe de thé à la menthe. Pour eux, l'affaire était close.

Le lendemain, aux premières lueurs du jour, les deux amoureux, bien au chaud dans les bras l'un de l'autre, sommeillaient comme des tourtereaux lorsque dans l'air calme du quartier El Farouche retentit une voix plaintive modulant les notes d'un chant étrange. La voix venue de nulle part semblait en fait provenir de partout. Le nom d'Allah y revenait par intermittence, intercalé çà et là d'une suite de sons apparemment dépourvus de consonnes.

Dans son rêve, Andréanne était assise sur un tapis volant qui avançait au-dessus des toits plats d'une ville arabe. Son trajet ne semblait suivre aucun parcours défini. Le tapis et son occupant virevoltaient au gré d'une modulation sonore faite de caprices et de petits soubresauts qui l'empêchaient de centrer son idée sur un but précis. On eut dit que le tapis était sous l'envoûtement du rythme lent et langoureux que suggérait le roucoulement de la voix aux accents de lamentations.

La voyageuse sortit à demi des limbes du rêve et se mêla peu à peu à la réalité. La voix éveillait en elle une préoccupation importante, une nostalgie mystérieuse. Une force insolite militait langoureusement pour accéder à un paradis de félicité encore inaccessible. Torturée irrévocablement sous le vent d'un conflit émotif intense, elle s'éveilla tout à fait et porta une attention concrète au son plaintif qui ébranlait ainsi les fondements de son monde connu. L'incantation pénétrait en douce par la fenêtre entrouverte du modeste réduit, et elle constata que son pouvoir suggestif, par la modulation en notes parfois aiguës, parfois d'une douceur infinie, jouait de façon accomplie sur la lyre de ses sentiments.

En écoutant plus attentivement cette supplication d'une beauté touchante, Andréanne eut soudain le sentiment de sa petitesse dans un univers aux proportions infinies. Elle se laissa à nouveau emporter sur le tapis de la mélodie lorsque, sans qu'elle s'y attende le moins du monde, la voix s'éteignit. Elle en resta stupéfaite, comme si cet arrêt soudain du sortilège la replongeait dans un monde d'incertitude et d'insécurité.

Mais qu'avait-elle donc à craindre ? N'avait-elle pas à ses côtés l'attention bienveillante d'un être solide et sûr de lui, d'un amant dévoué qui mettrait sa vie en jeu pour la protéger ? Il était là, blotti contre elle dans son sommeil, une main lui enrobant tendrement un sein. Elle caressa cette main en songeant à leurs ébats amoureux de la veille, lorsqu'à leur retour de la mosquée, ils s'étaient à nouveau retrouvés dans ce monde de sensations, repoussant plus loin encore les frontières de tout ce qu'elle avait connu et ressenti jusque-là. Cet amour prodigieux et délicieux qu'elle tenait bien au chaud au fond d'elle-même était ce qu'elle n'avait jamais eu de plus précieux. Les dangers encourus pour le trouver n'étaient rien en regard d'un tel bonheur. Et quel poids avaient les incertitudes de la situation actuelle dans la balance de la simple joie d'être avec lui ?

– Ma belle princesse… murmura une voix encore nimbée de sommeil.

– Te voilà de retour, capitaine des armées d'Allah, fit-elle radieuse, en posant son visage souriant contre le sien.

– Tu y vas de bon cœur, ma belle nymphe, lui retourna-t-il sur un ton espiègle. J'ai simplement promis à l'Iman Al Saoui que j'allais m'appliquer à retenir ses leçons sur le Coran, ce qui n'implique pas nécessairement que j'aurai les aptitudes requises pour ce genre de passe-passe.

– Tu joues avec le feu sacré, mon chéri, ce feu dévorant qui détruit les ennemis de l'Islam, comme le disait l'Iman.

– Pour l'instant, le feu sacré brûle sur l'autel de mon amour pour toi. C'est à partir de ce foyer d'action que nous enregistrerons une musique et des chants que des millions d'êtres fredonneront à leur tour. Il faudra d'ailleurs composer avec ton refus de collaborer avec l'Iman, ce qui ne nous facilitera pas la partie, j'en ai bien peur.

– Je n'ai pas fait tout ce chemin pour devenir musulmane contre mon gré, argua-t-elle en se rappelant l'attitude sévère que les chefs du temple avaient eue à son égard. Je n'ai rien contre ceux qui veulent marcher dans les traces de Mahomet. Cependant, mon libre arbitre n'est pas à mettre aux enchères.

– Que feras-tu pour t'y soustraire ?

– Mais rien du tout, voyons. Dans deux jours tout au plus, j'aurai l'argent pour leur clouer le bec.

– Et nous pourrons nous envoler pour Paris et produire notre album de chants, renchérit Muktar sur une note plus joyeuse. J'ai un bon contact là-bas. Je me demande par contre... ce qu'il adviendra si, pour une raison quelconque, l'argent n'arrive pas.

– Je ne vois pas de raison pour que cet argent n'entre pas. On n'aura ensuite qu'à déposer le montant dans mon compte, c'est tout. Je fais le virement et nous voilà libres.

– Tout semble si facile pour toi. Il est vrai qu'en Amérique...

– Dis-le donc : tu as hâte de poser le pied sur ce continent, n'est-ce pas ? Eh bien, tiens-toi-le pour dit mon chéri, c'est mon intention de t'y emmener, fit-elle en lui effleurant le menton du bout des lèvres. Comment pourrais-je vivre sans toi, maintenant ?

L'air frais du matin contrastait de façon heureuse avec la chaleur suffocante de la veille. Les rues de Tanger bourdonnaient déjà d'activité à cette heure matinale. Dans le quartier El Farouk où se trouvait un souk, genre de marché arabe à ciel ouvert, de longues tables étalaient des produits de provenances diverses. Des toiles, soutenues par de longues perches disposées çà et là, surplombaient les allées de marchandises en guise d'écran, contre le soleil surtout, compte tenu qu'au sud de la région méditerranéenne, les averses représentent des phénomènes rarissimes. À certains endroits, des tapis par terre contenaient des herbes médicinales séchées et finement broyées, disposées en tas et que les préposés plaçaient en quantités déterminées selon les besoins des clients, sur un papier journal qu'on repliait ensuite en forme de cône ; le produit était placé dedans et le dessus du cône rabattu sur l'ouverture pour former un paquet étanche que l'acheteur emportait après avoir versé la menue monnaie requise pour son achat. Il en allait de même pour la plupart des denrées alimentaires que le baladeur plaçait ensuite dans son sac confectionné artisanalement avec un genre de filet de couleurs variées.

Andréanne se dirigea vers un étalage où divers fruits étaient empilés en pyramide. Un homme âgé, ceinturé d'une longue tunique de lainage brun, la regarda s'approcher et fit mine de s'occuper pour mieux l'observer à la dérobée.

– Combien, les oranges ? demanda-t-elle en prenant un fruit à la base.

Au même instant, la pile s'écroula au complet comme un château de cartes et les oranges roulèrent par terre, derrière le comptoir, en avant et dans la rue. Un adolescent qui s'amenait avec un chariot de bouteilles de jus de fruits perdit pied en roulant sur une d'elles, et le contenu de sa charge bascula sur la dalle où les bouteilles se déversèrent en se fracassant pour la plupart. Le liquide et le verre cassé, mêlés aux oranges, semèrent la confusion parmi le flot des passants qui se bousculèrent pour éviter les obstacles. Une dame un peu rondelette vint s'échouer de tout son poids sur un comptoir. Toute une rangée de tables s'écroula à son tour avec d'autres piles de fruits et de bibelots. Le marchand, qui avait vu la cause de tout ce branle-bas, s'apprêtait à bondir sur l'étrangère lorsque les toiles au-dessus basculèrent elles aussi, avec leurs supports que les tables avaient déboutés, et recouvrirent l'Arabe, qui croyait que le ciel lui était tombé sur la tête.

– Disparaissons, fit Muktar en tirant la malheureuse par le bras. Ces Arabes ne sont pas des merluches. Ils auront tôt fait de te réduire en pièces s'ils te mettent la main au collet.

– C'est un simple accident, tu l'as vu ? fit-elle sur la défensive, en résistant à son sauveteur.

– Allons donc, filons au plus vite. Ce n'est pas le moment de débattre la question.

Dans le village québécois de St-Gérard-des-Laurenrides, les trois sœurs d'Andréanne s'étaient donné rendez-vous. Simone, l'aînée, avait ainsi convoqué le conseil de famille pour faire le point sur l'épineuse question des mesure à prendre pour retrouver la brebis perdue, cette sœur incompréhensible que la raison n'avait pu retenir au pays. Avait-on idée de quitter ainsi mari et pays ?

L'heure était au conciliabule. On était sans nouvelles de la voyageuse depuis maintenant deux jours et demi. Son dernier message envoyé à Milaine remontait à Paris où elle avait passé trois jours, ce qui ne correspondait pas à son itinéraire de vol. Puis, un bref message indiquait qu'elle partait pour l'Algérie.

– Mais que diable a-t-elle fait à Paris pendant ces trois jours ? répéta Aline, qui n'arrivait pas à comprendre la raison d'un tel délai dans l'itinéraire de leur sœur. Elle a beau se croire plus débrouillarde que nous trois ensemble, Paris est une ville où les mésaventures ne sont pas impossibles.

– Qui sait, supputa Simone, que l'inquiétude absorbait au point qu'elle avait oublié d'enlever son manteau, elle aurait pu rencontrer un Français séduisant qui l'aurait amenée visiter la Côte d'Azur.

– Ne sois pas si optimiste, lui rétorqua Aline, son goût pour l'aventure ne se limite pas aux choses conventionnelles. On dirait qu'elle est attirée par l'horreur, les risques absolus. L'Algérie est un des pays les plus dangereux au monde en ce moment. Si elle sort de là vivante, ce sera bien par miracle.

– Les journalistes nous présentent ce pays sous de bien mauvais aspects, ajouta Marthe, qui jusque-là avait écouté en silence en essayant d'éviter les sombres scénarios qui se présentaient à son imagination. Le gouvernement et tout le système sont aux mains d'une poignée d'individus qui ne veulent rien partager et dominent le peuple de façon honteuse. J'ai lu qu'on assassine les gens en vue et que c'est encouragé par les autorités religieuses. Le peuple croule sous la pauvreté alors que les richesses du pétrole profitent seulement à ceux qui détiennent le pouvoir.

– Et c'est pour ça qu'on exécute ceux qui ont de l'argent? s'informa Simone, qui essayait de saisir l'enjeu des attentats.

– Dans un pays démocratique, les gens ont la chance de s'élever contre les injustices et abus de pouvoir en votant pour le parti qui, selon eux, promet et a les meilleures chances de redresser les torts. Mais en Algérie, ceux qui détiennent le pouvoir sont indétrônables. Le recours à la violence et au terrorisme semble la seule voie du changement pour la masse défavorisée.

– Si la terreur était une solution valable, poursuivit Simone, l'aînée des trois sœurs Leclerc, il y aurait du changement. Mais, à ce que je sache, plus le temps passe et plus c'est pareil.

– Je n'ai pas l'impression qu'on peut y faire grand-chose, opina Aline d'une voix impuissante devant l'ampleur du problème.

– Avec ses quarante millions de population répartie sur un territoire couvrant la superficie du Québec et de l'Ontario ensemble, l'Algérie, le plus vaste pays d'Afrique, devrait pouvoir trouver l'équilibre et l'harmonie.

– Ce n'est pas là que se trouve le désert du Sahara? remarqua Simonne en pointant l'index sur la partie sud de l'Algérie, à la page où elle avait ouvert le grand atlas familial sur la table de la cuisine.

– En effet, comme pour le Québec avec le désert du Grand Nord, eux, c'est le désert du Grand Sud: de vastes espaces pratiquement inhabités.

– Et inhabitables, j'imagine.

– Oui, ici par manque de chaleur, et là-bas par manque d'eau.

– Espérons qu'Andréanne ne commettra pas la folie d'aller s'aventurer dans ce bourbier, avança Aline en observant la réaction de ses sœurs sur le sujet.

– Avec elle et ce qu'elle a fait déjà, comment le savoir? acquiesça Simone, devenue pensive. Je commence à penser qu'avec Andréanne, on peut s'attendre à tout.

– J'ai bien l'impression qu'on n'est pas au bout de nos surprises, opina Marthe au moment où la sonnerie du téléphone se fit entendre.

Les trois femmes s'élancèrent vers l'appareil.

– Oui, haleta Simone, qui avait remporté la course... Ah, c'est toi, Milaine!... À Alger?

Mais que veut-elle faire avec un tel montant?

– Que dit Milaine? questionna Aline après que Simone eut raccroché.

La sœur aînée restait pensive près de l'appareil pendant que les deux autres attendaient impatiemment.

– Une décision importante doit être prise au sujet d'Andréanne, fit-elle en plissant le front. La propriété qu'elle avait avec Joël a été vendue, et elle veut qu'on lui envoie le montant de sa part à Alger, où elle a contracté une dette envers des musulmans qui la retiennent sous surveillance étroite.

– Et qu'en pense Milaine?

– Bon, elle dit que c'est à nous de décider.

– Voilà une sage fille qui, à vingt et un ans, fait mentir le dicton *telle mère telle fille,* s'émerveilla Marthe, dont la tendance à philosopher agaçait parfois les deux autres.

– De ma vie je n'ai dégusté une orange aussi délicieuse, fit Andréanne, les yeux à demi clos pour mieux savourer le fruit qu'elle avait sauvegardé de sa mésaventure au marché El Farouk et en humer l'arôme. Tiens, goûtes-y !

– Merci, dit Muktar avec un sourire amer. À la seule pensée du bal que ce fruit a déclenché, j'en aurai des crampes d'estomac.

– Ce n'est guère le temps d'être estomaqué, corrigea-t-elle en pensant à sa mésaventure avec Richard Ryand à Paris. Vive était encore, dans sa mémoire, la scène de la gare aéroportuaire et du corps sans tête qui, dans un dernier soubresaut de vie, s'était relevé pour s'avancer avant d'aller s'écraser lourdement dans la poussière des ruines après l'explosion. Entrons dans ce café cybernétique et nous saurons si les choses ont bougé à St-Gérard-des-Laurentides.

À l'intérieur de la boutique alimentaire Ben Ditri, de jeunes internautes arabes commandaient à boire et se retiraient sur la terrasse, en bordure de l'artère citadine où circulaient de nombreux badauds à cette heure encore matinale. Des tables et des chaises à l'européenne meublaient le parquet marbré de l'enceinte attenante à la boutique Ben Ditri. Là, on discutait des dernières trouvailles en informatique, des cours auxquels la plupart d'entre eux étaient inscrits à la proche université d'Alger, ou des potins circulant dans l'entourage du quartier. D'autres prenaient place devant un carreau sur un des murs intérieurs où trônaient un ordinateur et le nécessaire à la communication en réseau.

Pour la modique somme de cent réals algériens, 1500 francs, près de deux dollars canadiens, le client avait accès à une heure de web. Andréanne s'approcha du comptoir caisse et donna deux billets de cinquante réals au marchand, qui posa sur elle un regard entendu et l'accompagna à une porte-châssis dont il déverrouilla le panneau pour dégager le clavier et l'écran dont elle avait besoin. D'une main agile, la Canadienne entra le code et établit le contact avec sa boîte postale informatique.

– Voilà, fit-elle avec un bref mouvement d'impatience. J'y suis presque. Deux messages attendent en provenance l'un de ma sœur Aline de St-Gérard-des-Laurentides, et l'autre de Milaine, ma fille de Lévis. Voyons d'abord ce que dit Aline.

Besoin urgent de tes nouvelles. Tes autres sœurs et moi-même sommes très inquiètes à ton sujet. On nous dit ici que l'Algérie n'a rien d'autre qu'une fin tragique à offrir aux étrangers. Donne-nous signe de vie et sors de là au plus vite s'il en est encore temps. Aline

– Bon, rien de bien concret de ce côté, fit-elle en relevant la tête vers Muktar. Mes sœurs ne sont pas voyageuses. Elles ont l'inquiétude à fleur de peau... Il est vrai que je leur avais promis de mes nouvelles aux deux jours maximum. Mais je leur ai parlé de Paris il y a deux jours à peine.

– Elles s'inquiètent sans doute du fait que vous êtes en Algérie, suggéra le Camerounais d'un air pensif.

– Bon, passons à Lévis pour les nouvelles de la vente de la maison. Tiens ! Voilà ce que dit Milaine :

Maman, donne-nous des nouvelles ! Es-tu en difficulté ? Ou pire encore ? Nous savons que tu es en Algérie depuis deux jours. Si on n'a pas de nouvelles de toi d'ici demain, on va alerter l'ambassade du Canada à Alger.

– Pas de nouvelles de la maison ! s'exclama-t-elle sur une note pathétique.

– Rien ?

– On s'inquiète de ma sécurité. Je vais leur envoyer un message, fit-elle nerveusement, les doigts parcourant le clavier.

– Que leur diras-tu ?

– Que nous sommes entre les mains d'Arabes musulmans qui ne nous laisseront aller que si nous ne leur réglons ton emprunt. Il nous faut donc du liquide dans mon compte au plus tôt.

– Pas si vite voyons, fit Muktar d'un air prudent. Si ta famille apprend que nous sommes en quelque sorte prisonniers de nos camarades musulmans, ils vont déclencher l'alerte et on va nous rechercher. Que feront ensuite nos détenteurs s'ils apprennent que la police internationale est à notre recherche ? Sachant qu'ils sont sur le point de perdre leur remboursement, ils nous immoleront possiblement pour qu'à leur yeux, notre âme soit sauvée ; une façon comme une autre de ne pas tout perdre. De plus, en sauvant notre âme, ils auront été de bons musulmans aux yeux d'Allah.

– Alors, enchaîna Andréanne pour résumer la situation, ses doigts agiles sur le clavier, je leur demande de déposer le montant dans mon compte de banque. Nous avons besoin de cet argent dès demain pour continuer notre itinéraire, précisons-le-leur seulement. Et voilà ; c'est parti.

– Quelle chance il m'a été donné de rencontrer à la fois la grâce et l'intelligence chez celle que j'aime, s'extasia Muktar en étreignant amoureusement sa compagne. Que de bonheur j'aurai, dans les jours qui suivent, à veiller sur votre bien-être, belle princesse…

En entrant à l'hôtel en fin d'après-midi, les deux étrangers passèrent devant le comptoir de la réception où Abdou, le propriétaire, les regarda s'approcher d'un œil narquois.

– Vous aimez l'Algérie ? s'informa-t-il, courtoisement.

– Alger est une mine de surprises, salua joyeusement Muktar, qui traînait toujours sa guitare en bandoulière.

Dans la lumière un peu atténuée tombant de la fenêtre, dont les battants extérieurs avaient été débloqués et ouverts pour la journée, le visage aux traits foncés de l'hôtelier reflétait la préoccupation lointaine de ses pensées, et Andréanne lui trouva un air triste.

– Et cette musique, ça vient ? psalmodia Abdou d'une voix corsée.

– Justement, répondit le Camerounais dont la présence d'esprit ne ratait pas une occasion de mousser son art auprès de chacun, nous avons trouvé un studio d'enregistrement tout près de l'université. Les possibilités d'y réaliser un C.D. sont excellentes. Nous y retournons demain pour une répétition.

– Bien, acquiesça-t-il en devenant plus sérieux. Et l'argent des billets d'avion, c'est rentré ?

– Non, pas aujourd'hui, intervint Andréanne d'une voix qu'elle essayait d'affermir. Mais demain, oui.

Une lueur de déception passa sur le visage de l'homme d'affaires, dont le regard vrilla celui de la Québécoise, à la recherche d'une faille dans sa déclaration. Celle-ci soutint son inquisition et se dirigea vers l'escalier menant à l'étage supérieur, où se trouvait leur modeste réduit.

– Il vous serait sans doute utile de savoir que la police ici tient un compte serré des visiteurs et de leur séjour dans les maisons de pension.

– Qu'est-ce à dire ? s'enquit Andréanne.

– Eh bien, fit Abdou en se donnant un air d'impuissance, vous n'avez pas le droit de séjourner plus de dix jours au même endroit.

– Et qu'arrive-t-il après ?

– Je ne connais qu'un cas de gens ayant enfreint le règlement. Les gendarmes ici n'y vont pas par quatre chemins. Ils sont venus les chercher et je n'ai plus entendu parler d'eux.

– N'avez-vous pas essayé d'en savoir plus long ? poursuivit-elle d'un air incrédule.

– Certes, mais dans ce domaine, les questions ne mènent nulle part.

Le regard de l'hôtelier s'assombrit à nouveau et il reprit d'une voix ferme :

– Je tiens à récupérer mon argent. C'est pourquoi il est de votre intérêt et du mien de régler cette question avant d'en arriver là.

– Je suis en communication avec ma famille, ajouta la Canadienne ; et, à mon avis, le montant dû sera disponible demain.

– Veuillez nous excuser, intervint Muktar avant de prendre congé. Nous devons être à la mosquée pour la prière du soir dans une heure à peine.

L'aube de cette troisième journée à Alger se leva sur un ciel teinté de nacre à l'orient. La voix plaintive d'un fidèle d'Allah psalmodiait encore sa prière suppliante lorsqu'Andréanne entendit frapper à la porte. La nuit avait été houleuse, avec un sommeil entrecoupé de rêves de nature à ne lui laisser que peu de détente. Éveillée depuis un moment, elle en était à se demander ce qui leur arriverait si, par malheur, l'argent n'était pas au rendez-vous dans quelques heures. Comme nous, il leur faudra bien patienter un peu, conclut-elle une fois de plus. Ces gens ne sont pas sans réaliser que nous allons aux prières à reculons et que nous ne sommes pas du bois pour alimenter le feu de l'Islam. Pas de doute qu'ils vont faire montre d'impatience.

On frappa la la porte une seconde fois et Muktar ouvrit l'œil. Il s'étira un moment avant répondre d'une voix encore nimbée de sommeil.

– Dépêchons, l'enjoignit sa compagne en enfilant un chemisier et une robe d'un bleu chatoyant qu'elle avait apportée de St-Gérard-des-Laurentides.

Elle alla ouvrir et se retrouva en face de l'Iman Ben Al Saoui et de Yussef, son associé. Ils entrèrent en silence, d'un pas nerveux mais résolu. Leur expression affichait une certaine détermination et, au coup d'œil circulaire qu'ils jetèrent, leur intention n'en fut que plus manifeste. Andréanne avait laissé son ordinateur portatif ouvert sur une table de nuit et un éclair de satisfaction brilla dans le regard de Yussef au moment où il s'y attarda.

– Qu'Allah vous bénisse, mes enfants, commença par dire l'Iman en guise de salutation. Vous n'ignorez sans doute pas la responsabilité qui m'incombe en ce qui touche cet argent que nous vous avons avancé pour votre venue en ces lieux. Abdou, votre aimable hôte, y a participé généreusement, mais le reste a été pris à même un fonds religieux auquel nous sommes redevables envers nos fidèles contribuables de la mosquée.

– Mais nous aurons probablement ce montant aujourd'hui même, votre éminence, intervint Andréanne d'une petite voix.

– Les probabilités étant ce qu'elles sont, il nous faut... disons, comme les banques, des garanties.

Yussef s'était déjà approché de l'objet de sa convoitise. Il le souleva, établit le contact et tenta d'en chiffrer la valeur marchande à même les données de passage sur l'écran.

– Potable, marmonna-t-il en bout de ligne, d'un air approbateur.

– Potable dites-vous ? s'exclama Andréanne, indignée. Mais il s'agit là du dernier cri dans le domaine de l'informatique.

– Bon, ce sera un bon début de garantie, statua l'Iman, imperturbable. Puis, il se tourna vers la guitare le long du mur et s'apprêtait à faire un pas dans cette direction lorsqu'Andréanne intervint à nouveau.

– Vous savez, cet ordinateur est mon outil de travail et sa valeur marchande dépasse celle des billets d'avion Montréal-Alger, aller et retour.

– Ah, j'allais oublier. Les billets d'avion pour le retour. Il me les faut également. Vous n'aurez qu'à récupérer le tout ce soir lorsque vous aurez le montant en main, poursuivit l'Iman sur un ton monocorde, en tendant la main.

Devant l'inévitable, Andréanne lui remit les billets d'avion en espérant les reprendre bientôt. L'air satisfait, l'Iman et son associé prirent congé sans autre forme de civilité.

Le passage impromptu des deux Arabes de si bonne heure fit l'effet d'une bombe sur les occupants de la chambre numéro huit. Ils restèrent sidérés pendant un moment, se demandant ce qui pourrait leur arriver encore au cours de cette journée à ses débuts seulement. Andréanne avait l'air abattue.

– Allons, ma princesse, la consola son compagnon en la serrant dans ses bras. Ce n'est que partie remise. Allons vérifier notre courriel. Nous reviendrons ensuite réclamer ton bijou électronique.

– Tu as raison, mon bon ami. Avec le décalage horaire, on a dû m'envoyer un message en fin d'après-midi ; disons vers six heures, ce qui donne minuit ici. Nous irons ensuite acheter nos billets d'avion pour Paris, où tu pourras enrigistrer ton C.D. comme prévu.

Dans la rue étroite, entre les maisons du quartier El Farouk, les passants allaient et venaient, s'arrêtant devant une boutique pour admirer ou marchander un tapis mural ou une table à café ; pour échanger avec des connaissances ou prendre le thé sur l'une des nombreuses terrasses en bordure de l'artère achalandée. La densité de cette foule en mouvement forçait les deux visiteurs à marcher l'un derrière l'autre. Le Camerounais devait même, à certains moments, porter son instrument musical à cordes à bout de bras, au-dessus de sa tête, pour éviter qu'il ne soit endommagé dans d'imprévisibles bousculades avec les autres passants.

Au café cybernétique Ben Ditri, le couple bigarré ne mit pas longtemps à découvrir que non seulement Milaine n'avait pas déposé la somme requise en lieu approprié, mais elle prévenait sa mère que l'argent ne pouvait lui être acheminé en raison de l'incertitude dans laquelle le conseil de famille était plongé quant à la possibilité où se trouvait Andréanne de se faire dérober une telle somme.

– Bon, voilà qu'on se donne la mission de protéger mon portefeuille à présent, fit-elle, découragée. Et ma sécurité personnelle, dans tout ça ? J'ai absolument besoin de cet argent. Ah, tiens ! Une note apparaît au bas du message.

– Qu'est-ce ? fit Muktar, l'oreille tendue.

On a déposé trois cents dollars dans mon compte pour dépenses diverses. Passons à la banque.

De retour à leur gîte, les deux étrangers à Alger passèrent en revue les différentes options s'offrant à eux pour se sortir de l'impasse. D'un côté, ils seraient réduits à un genre d'esclavage odieux face à leurs débiteurs en raison de leur insolvabilité, avec des chances presque nulles de s'en sortir. D'un autre côté, rien n'empêchait ces derniers de les faire disparaître, tout simplement.

Il était dans leur intérêt immédiat, et à long terme, de déguerpir sans laisser de traces et ainsi d'échapper à leurs agresseurs. Mais comment réussir ce tour de force, surveillés comme ils l'étaient par l'hôtelier, qui avait connaissance de leur allées et venues ? Ne saisissait-il pas l'appareil téléphonique après chacun de leurs passages dans le hall d'entrée ? Muktar se détournait discrètement après coup pour constater le fait. Abdou était donc en communication constante avec ses associés musulmans, qui épiaient leurs moindres gestes. Comment échapper à leur surveillance ?

Il fut donc convenu que leur fuite aurait lieu au plus tôt et le plus rapidement possible. Comme les voies officielles telles que train, autobus, avion et bateau, feraient l'objet d'une surveillance étroite, sans l'ombre d'un doute, il faudrait choisir un moyen plus discret et pour le moins inusité afin de sortir de l'Algérie.

– Pour que notre escapade prenne l'allure d'une simple balade au studio de musique, il nous faudra laisser nos valises ici, constata Muktar, et n'apporter que le strict minimum.

– Et tout mon linge ! fit Andréanne, pathétique.

– Ta peau magnifique vaut infiniment plus que ce qui la recouvre, constata avec conviction son compagnon en lui caressant tendrement l'échine. Passeports, bijoux et argent ; voilà les trois choses essentielles à ne pas laisser derrière.

– En fait, il ne faudra sortir qu'avec les vêtements que nous porterons sur nous, constata-t-elle, la mine déconfite. Dis-toi bien que je vais enfiler tout ce qu'il est possible de camoufler sous mon manteau sans éveiller les soupçons.

– Bon, commençons tout de suite pendant qu'il est encore tôt. Avec un peu de veine, nous serons déjà loin d'Alger à la nuit tombée. Naturellement, ils alerteront les gendarmes et feront surveiller les aires de départ et les sorties de la ville, mais nous serons déjà loin sur la route qui mène au désert, vers la frontière du Mali.

En passant devant le comptoir de l'hôtellerie, le couple afficha une allure désinvolte, comme si leur sortie n'allait être qu'une simple balade. Abdou leva sur eux des yeux interrogateurs et une certaine méfiance parut à la surface de sa mine sombre.

– Souhaitez-nous bonne chance pour cette répétition musicale, lui demanda le Camerounais, la guitare en bandoulière.

Le commentaire parut le rassurer et il les regarda silencieusement s'éloigner vers la sortie. Les deux fuyards évitèrent de se retourner, espérant n'éveiller aucun soupçon chez l'Arabe à son poste de surveillance. Muktar avait encore présente à la mémoire son arrivée à Alger par la route du désert, quelques mois plus tôt. Aussi voulut-il se diriger sans tarder vers cette partie de la ville où il connaissait un point de transit vers l'interminable route de campagne qui longe les oasis, le long du Sahara algérien. Après s'être mêlé à la foule du quartier El Farouk, le couple héla un taxi à quelques rues de l'hôtel. Ils avaient la certitude maintenant de n'avoir pas été suivis.

– Conduisez-nous sur le chemin de Takif, commanda l'Africain à l'adresse du conducteur, qui s'étonna de rencontrer un couple aux couleurs si opposées dans un pays où les gens ont plutôt le teint d'un brun à mi-chemin entre ces deux extrêmes.

– Espérons que ce mec à l'allure désinvolte ne sera pas questionné par nos agresseurs, chuchota Andréanne, que l'idée d'échapper au danger plongeait dans un état d'euphorie bien légitime.

– Allons, rigola son compagnon qui partageait avec elle ces premiers moments de joie, la ville au complet ne peut être de mèche avec ce mauvais trio.

La circulation à la sortie du quartier El Farouk ne permettait pas aux fuyards de filer à vive allure. Les quelques voitures motorisées avançaient à pas de tortue dans la cohue d'une foule de piétons où déambulaient également des chariots de marchandises tirés chacun par un homme de trait ruisselant de transpiration sous la chaleur torride de ce mois de juillet nord-africain. À cette allure, nous serons encore dans la ville d'Alger à la nuit tombée, pensa Adrianne dans un bref mouvement d'impatience. Muktar, qui l'observait d'un œil admiratif, constata la nervosité qui l'habitait et tenta de la rassurer.

– Nous serons bientôt sortis de cet achalandage et atteindrons avant longtemps le poste d'où partent les transporteurs pour le sud. Nos amis de la mosquée ne nous croiront jamais assez téméraires pour affronter les rigueurs du Sahara pour aller en Afrique noire. C'est d'ailleurs notre seule chance de leur échapper.

– Pas si fort, intervint-elle en baissant la voix, l'index pointé vers le chauffeur. Évitons d'éveiller les soupçons.

Après un laps de temps qui parut interminable, la voiture nolisée déboucha sur une artère plus rapide.

– Enfin, laissa-t-elle tomber, soulagée. Est-ce loin encore ?

– Alger est une grande ville mais on devrait se retrouver à la sortie d'ici une heure, ce qui nous laissera amplement le temps de prendre de la distance vers le sud, même s'il faut attendre un prochain départ.

Le jeune Arabe au volant roulait toutes vitres baissées pendant qu'une brise chaude, presque suffocante, arrivait par intervalle au visage des deux passagers. Les pâtés de maisons aux murs de stuco étendaient leurs toits plats de chaque côté de l'avenue, et Andréanne songea à ce qu'avait été sa vie à St-Gérard-des-Laurentides avec Joseph Albert. N'aurait-il pas été préférable qu'elle ne se soit pas laissé amoindrir jusqu'au point de ne plus se sentir désirable pendant si longtemps ? Que valait tout le confort de ce foyer vide de son contenu affectif depuis toutes ces années ? Alors que maintenant... oui, à présent, malgré les incertitudes quotidiennes, au-delà des multiples dangers, sur une route qu'on devait tracer au gré des exigences quotidiennes, un bonheur remplissait de ses effluves le vide infini qui avait été le sien et qu'elle en était venue à considérer comme étant son lot et, en un mot, tout ce que lui avait réservé le destin au tournant de son existence. Le bonheur avait à présent élu domicile dans ce château-fort à l'intérieur d'elle-même, mais il était aussi là, tout près d'elle, dans cet être venu à sa rencontre, et qui l'avait attendue dans ce pays insolite. Elle en oublia la chaleur ambiante et se blottit contre lui. Il lui passa le bras autour du cou et lui murmura à l'oreille :

– Tu sais, ma belle princesse, je ne regrette rien de ce qui nous est arrivé. Je suis si bien près de toi que le reste a peu d'importance. N'est-ce pas ce qui compte pour nous, d'être ensemble toi et moi ?

Pour toute réponse, elle le serra à nouveau avec tendresse. En effet, tout le reste était bien peu en regard de cet amour, dont la seule pensée dressait un rempart solide contre toute menace à la durée du grand feu de joie remplissant, de son éclat, les vastes espaces de son univers intime. La voiture et ses occupants débouchèrent près d'un rond-point au centre duquel un monument dressait sa sculpture de marbre à la mémoire de quelque héros de la guerre d'indépendance. Le conducteur ralentit et gara son véhicule le long d'une palmeraie. Les voyageurs descendirent. Muktar régla la note et le taxi repartit dans la direction d'où il était venu. À cet endroit, les résidences et cabanes quelque peu délabrées étaient plus clairsemées et l'on sentait que la campagne, avec ses espaces de verdure, marquait les limites de la ville à proximité. Des couples avec enfants circulaient sur la place. D'autres, seuls ou en petits groupes, portant des fardeaux ou baluchons de voyage, allaient d'un véhicule à l'autre pour marchander le prix d'un passage en direction d'un village dans le sud. Çà et là, un comptoir à ciel ouvert offrait un buffet préparé sur place. Un cuisinier s'affairait, sur un brûleur de fortune, à préparer un mets que chacun commandait en attendant un prochain départ. De l'autre côté du rond-point, un bâtiment aux couleurs bigarrées dressait sa façade en bordure de la voie de circulation. Des écriteaux en alphabet arabe semblaient y faire étalage de quelque produit et une longue toile servant de parasol s'étendait tout au long de la façade, offrant aux passants qui s'y réfugiaient un rempart contre les ardeurs d'un soleil à son zénith. Les deux nouveaux venus vinrent y chercher un peu d'ombrage. Le Camerounais décrocha son instrument à cordes et se mit à fredonner un air de son pays. La mélodie, d'une douceur touchante, racontait les malheur d'une orpheline dont les parents avaient souffert les déchirements d'une guerre civile avant d'être emportés dans des souffrances cruelles.

– Oued-Fodda, Oued-Fodda ! Il reste deux places sur un départ pour Oued-Fodda, cria un conducteur de voiture à proximité.

Le chanteur fit une pause et tendit l'oreille. Il tira une carte routière de sa poche et vérifia l'emplacement d'Oued-Fodda.

– Voilà, c'est pour nous, fit-il en replaçant sa guitare en bandoulière. Dépêchons !

La voiture et ses passagers cahotaient depuis une heure environ, sur la route de campagne où défilaient de maigres pâturages et des plantations de fruits ou des potagers, agrémentés çà et là de maisons basses au toit plat. De temps à autre s'élevait de la plaine une colline ou une dénivellation sur laquelle s'engageait la route étroite mais toutefois occupée par un achalandage témoignant d'une activité comme on en voit entre les villes et villages des pays du Maghreb. Des camions avec la boîte arrière chargée de passagers passaient en sens inverse sur la route menant à la capitale. Parfois, un véhicule militaire suivait le taxi-transporteur en direction sud-est et finissait par le dépasser. L'armée et la force policière ont une préséance de droit et de fait sur les routes en pays arabe. Ne pas leur céder le passage dans les meilleurs délais serait faire preuve de présomption, et la riposte serait immédiate. Dans un pays où la force brute l'emporte sur la raison, tenter de jouer au plus fin avec le plus fort n'est pas considéré comme une astuce de bon aloi. Au contraire, cette attitude va à l'encontre de l'instinct de conservation le plus élémentaire.

Le conducteur du taxi avait mis un moment avant de voir venir les militaires derrière lui et, lorsqu'il leur céda le passage, ceux-ci lui jetèrent un regard noir et il s'en fallut de peu qu'il ne se fasse arrêter sur-le-champ.

Andréanne et Muktar partageaient la banquette du conducteur. Sur le siège arrière, quatre passagers étaient entassés, l'un d'eux tenant un énorme sac sur les genoux, le coffre à bagages étant déjà rempli à pleine capacité. Andréanne avait placé la tête sur l'épaule de son compagnon qui, le long de la portière, avait sa guitare sur le parquet de l'auto devant lui et s'appuyait sur le manche de l'instrument en guise d'accotoir. De la radio installée à même le tableau de bord grésillait une musique, un air de flûte rapide, scandé d'un battement de tambour qui donnait, à l'ensemble de la pièce, l'impression de folâtrer, comme un papillon, sur les flancs d'une colline en fleurs.

À une cinquantaine de kilomètres d'Alger, les voyageurs avaient passé un bled d'une certaine importance du nom de Blida. La voiture s'y était arrêtée pour laisser descendre le type au baluchon, qui avait aussitôt été remplacé par un autre. Décidément, le covoiturage ici est un système bien rodé. Que de pollution en moins, de cette façon, pensa Adrianne en songeant aux milliers de voitures, sur les routes canadiennes, n'ayant à leur bord qu'une seule personne. Elle songea aux autobus bondés de monde de La Havane et d'ailleurs sur les routes de Cuba pendant un bref séjour qu'elle avait effectué dans ce pays où l'on devait faire presque tout avec presque rien. Ici, il en allait autrement, supputa-t-elle en se souvenant que l'Algérie fait partie des pays exportateurs de pétrole. Les milliards en retombées économiques devaient bien se traduire par des moyens accrus pour l'infrastructure du pays dans son ensemble.

Pourtant, les gens en général ne semblaient pas jouir d'une richesse matérielle évidente. Les résidences, en général, semblaient plutôt se tapir sous le couvert de la modestie. Les villages tels que Miliana, où l'on venait d'entrer, comptaient bien quelques villas cossues aux couleurs chatoyantes mais, pour le reste, les gens allaient à pied pour la plupart et les pâtés de maisons alignées sans distinction témoignaient d'une pauvreté inexplicable.

L'auto stoppa près d'un carrefour où une fontaine projetait de longs jets d'eau retombant avec un gazouillis reposant dans un bassin de marbre. Des gens en longue tunique du pays allaient et venaient, certains s'attardant près de la rampe où se garaient les voitures de transport en train de décharger des marchandises, ou autour d'un cuisinier et de son comptoir de friture en bordure d'un édifice central.

Muktar profita du bref moment pendant lequel le chauffeur livrait un colis à l'intérieur pour se procurer deux brochettes d'agneau, enrobées d'un pain croûté, et revenir en vitesse à l'auto. Le conducteur fut bientôt de retour et la voiture reprit la route en direction sud-est.

– Délicieux, constata Andréanne en savourant son repas-éclair, un sourire appréciateur au coin des lèvres. Digne d'une cuisine haut de gamme !

– Mais il ne s'agit que d'une banale brochette d'agneau rôti sur un feu de braise.

– Et cette sauce, tu la trouves banale ?

– Il est vrai qu'elle a du mordant. Que diable y ont-ils ajouté ? On dirait... une touche de curry avec cette épice du désert dont le nom m'échappe, ajouta l'Africain, les yeux mi-clos pour mieux savourer les délices de ce fumet élaboré tout bonnement sur un simple coin de rue.

– Ce cuisinier de fortune ferait un malheur dans un restaurant montréalais pendant la saison estivale, ajouta Andréanne.

– Tout le monde est là ? demanda le chauffeur en jetant un coup d'œil rapide dans son rétroviseur.

Un on-est-là à quatre voix monta de l'arrière, et le chef d'orchestre routier se remit à battre la mesure, par la commande que ses mains exerçaient sur le volant de son instrument. Le pittoresque de la route campagnarde avalait le passage de ce vibrant contenant d'êtres humains telle une folâtrerie agréable sur les cordes de son paysage. Entre un tournant de route et un ralentissement, puis un arrêt pour laisser passer un troupeau de moutons et son berger, le chauffeur dirigea son attention sur les occupants du siège avant.

Les grands yeux rieurs d'un noir ardoise de l'Africain s'attardèrent sur la blancheur de cette peau qui recouvrait les épaules et les bras d'Andréanne. Elle sentit l'envoûtement avide et enveloppant de ce regard lui effleurer le bout des seins et le reste du corps comme une caresse suave l'invitant à se vautrer dans l'extase d'une étreinte amoureuse d'une douceur incommensurable. Elle ne put retenir l'élan d'un mouvement intérieur qui la portait d'emblée vers cet être doux et bon. Elle se remémora l'euphorie de la veille, lorsqu'ils s'étaient à nouveau retrouvés dans ce paradis de félicité que procure la fonte de deux êtres dans l'intimité d'une union parfaite. Puis, il lui posa une main sur les genoux et elle ferma les yeux en sentant un frisson lui parcourir tout le corps.

L'heure n'était cependant pas à l'effondrement de toute retenue. La proximité de l'être aimé avait d'ailleurs peu de poids dans la chance qu'elle aurait d'enfreindre la bienséance musulmane sans encourir les foudres de son entourage. Elle se fit violence et éloigna lentement la main de Muktar, dans un mouvement de pudeur qu'elle avait du mal à faire sien. Le conducteur constata son geste et une lueur d'admiration éclaira le regard qu'il lui accorda à la dérobée.

– Terminus, entonna d'une voix un peu lasse le conducteur du taxi-transporteur en s'engageant sur le boulevard central d'Oued Fodda, à cent cinquante kilomètres de la capitale algérienne.

Les passagers furent bientôt sur la place centrale avec leur effets de voyage en bandoulière. Certains s'éloignèrent dans des directions diverses par les rues de ce village maghrébin tandis que les autres s'installèrent sur des bancs publics en attente d'un prochain départ. Andréanne et Muktar rejoignirent ce dernier groupe, espérant trouver rapidement une occasion pour se rendre à Belizane. À cette distance de quelque trois cents kilomètres d'Alger, ils se sentiraient moins vulnérables à la surveillance que leurs poursuivants auraient certainement déclenchée contre eux.

Le Camerounais avait l'œil aux aguets. Lorsque passait une patrouille de gendarmes ou de militaires, sa nervosité s'accentuait.

– Passe-moi ton manteau, murmura-t-il à sa compagne lorsque deux policiers en uniforme engagèrent le pas dans leur direction.

– Que veux-tu faire de mon manteau dans cette chaleur ?

– Recouvrir ma guitare au cas où notre fuite aurait été signalée aux forces de l'ordre.

– Crois-tu que nos trois acolytes puissent nous nuire jusqu'ici ? fit-elle pendant qu'il plaçait l'instrument sous couvert.

– Pas de doute qu'ils ont le bras long, ces trois associés de malheur, murmura-t-il à l'approche des deux gendarmes qui s'arrêtèrent devant un groupe en attente au centre de la place publique. Ils dévisagèrent chacun d'un air méfiant et interpellèrent l'un d'eux sur un ton menaçant :

– Vous là, montrez-nous votre carte d'identité !

Le jeune Arabe au début de la vingtaine fit montre d'un embarras évident et balbutia lentement quelques phrases incohérentes. Les deux officiers le saisirent aussitôt par le bras, l'embarquèrent dans l'auto patrouille garée en retrait du carrefour et disparurent à l'intersection suivante.

– Ouf, on l'a échappé belle, constata Andréanne de soulagement.

– Il faut s'éloigner d'ici au plus vite, acquiesça Muktar en bondissant de son siège. Je vais voir si l'on peut trouver un départ pour Belizane.

Pendant qu'il s'éloignait, la Canadienne, qui se sentait épiée par les nombreux regards tournés indiscrètement vers elle, sentit le besoin de se trouver des vêtements qui la distinguent un peu moins des autres. Avec son allure étrangère, elle ressortait de la foule telle une brebis blanche dans un troupeau de moutons brun foncé.

Avec mon compagnon, le contraste est encore plus criant, pensa-t-elle, pendant que celui-ci allait d'un taxi à l'autre le long de la rue. Comment amoindrir l'effet ? Si je me vêtais de noir et lui de blanc, nous aurions tous deux l'air noir et blanc. Mais on ne passerait toutefois pas sans attirer les regards. Puis il lui vint à l'idée qu'en ayant une robe algérienne et un voile pour couvrir la blancheur de son visage, elle se mêlerait plus facilement à la foule. Cette idée lui plut et elle se dit qu'elle en parlerait à son compagnon qui, lui, avait une expérience plus élaborée de la culture musulmane. Comment savoir ce que pensent les gens si on ne connaît pas leurs mœurs et coutumes ?

Muktar avait séjourné en Algérie pendant deux mois, à l'attendre, pendant que se négociaient les modalités d'achat et d'envoi des billets d'avion pour qu'elle vienne le rejoindre. Mais à la pensée que la femme avait bien peu de droits dans ce pays où les règles du Coran dictaient le comportement et la soumission de la femme à l'homme, il ne serait sans doute pas de bon aloi qu'un étranger soit vu en compagnie d'une musulmane. Leur association ne prendrait-elle pas l'allure d'une fuite encore plus évidente ? Non, il valait sans doute mieux, malgré leur contraste et en dépit des risques considérables courus par les visiteurs dans ce pays, qu'on les considère comme des étrangers. Il fallait continuer à courir le risque.

– Dépêchons ! haleta Muktar à bout de souffle, en revenant à la hâte vers sa compagne. Un car est en partance pour Franchetti, un bled perdu sur la route vers le désert. C'est à trois cents kilomètres au sud-ouest.

Les amoureux longèrent un pâté de maisons aux fenêtres munies de barreaux d'acier et s'engagèrent dans une ruelle où attendait une auto bondée de gens et sur laquelle on était en train d'empiler des colis. Le porte-bagages contenait déjà tout ce qu'il pouvait supporter et des lanières retenaient le tout solidement en place.

– Quelle chance nous avons, souffla Muktar à l'oreille d'Andréanne pendant que le car et sa lourde cargaison dévalaient le boulevard à la sortie d'Oued Fodda.

Passablement à l'étroit avec trois autres passagers sur la banquette arrière, les visiteurs regardaient baisser la lumière à l'horizon. Des traces d'ocre et de carmin striaient déjà le firmament, là où l'astre du jour avait disparu, au-delà de la plaine et des collines en dentelle, accusant une démarcation entre le ciel et la surface terrestre.

Le conducteur de la voiture, en bon vivant, fredonnait gaiement un air et scandait les fins de phrase par une intonation qui donnait à sa joyeuse rengaine un effet d'emportement. De temps à autre, il levait le menton et jetait un coup d'œil provocateur vers Andréanne dans le rétroviseur. Sa bonne humeur semblait se communiquer à l'ensemble des passagers et à mesure que le crépuscule s'installait sur la lande arabe, les monts des Béni Chourine à l'ouest se rapprochaient et prenaient du relief sur le ciel d'un bleu sombre. Ainsi, lorsque les voyageurs atteignirent le village d'El Asnam, l'obscurité avait envahi la totalité du champ visuel sauf pour la lumière tamisée des quelques rares lampadaires postés de façon disparate à l'entrée de la bourgade.

– Terminus pour tous ceux qui sont arrivés à destination, annonça avec un brin d'humour le chauffeur, une fois parvenu au centre du village.

Un passager descendit en effet, laissant un peu d'espace pour respirer aux quatre autres occupants du siège arrière.

– Ouf, soupira Andréanne. Je commençais à avoir des crampes un peu partout. Comment te sens-tu, mon prince? ajouta-elle en lui mordillant une oreille.

– Si près de toi, moi, j'étais bien. Du moins de ce côté car de l'autre, la poignée de porte... fit-il en échappant un grognement de douleur.

À une heure avancée de la nuit, les voyageurs arrivèrent à Franchetti. Andréanne sommeillait depuis un bon moment sur l'épaule de son protecteur, et l'auto-taxi avait traversé les villes de Oued Chiou, Belizane et Mascara au pied de la chaîne de montagnes des Béni Chougrane. À leur sortie du véhicule, une fraîcheur dans l'air contrastait avec la chaleur sèche de la campagne. Une odeur d'humidité et d'herbages marins donnait l'impression d'une étendue d'eau à proximité. Cependant, dans l'obscurité totale d'une nuit sans lune, comment vérifier ce que chacun pressentait ?

Muktar suivit les conseil du chauffeur et entra dans une auberge où la faible lueur d'une lampe à pétrole laissait entrevoir un comptoir derrière lequel sommeillait, renversé sur sa chaise, un Arabe à turban. Il ouvrit l'œil au bruit de la porte et à l'arrivée des deux étrangers. Il les dévisagea un long moment en silence et leur adressa la parole en langue berbère. Muktar, qui avait quelques notions de ce dialecte, s'entretint brièvement avec lui et l'aubergiste les accompagna jusqu'à un modeste réduit qui devait leur servir de chambre pour le reste de la nuit.

– Nous avons bien mérité ces moments de repos, fit le Camerounais en s'étendant sur le lit près de sa compagne.

Elle le regarda en silence et lui sourit dans la pénombre de cette pièce aux murs délabrés. Il se pencha sur elle, lui avouant une fois de plus à quel point il était heureux de se trouver si près d'elle. Il l'enlaça tendrement, puis leurs lèvres se rencontrèrent passionnément pendant de longs moments et ils se redirent silencieusement l'enivrement qu'ils avaient de se retrouver. Les caresses aidant, l'effervescence monta graduellement à mesure que les doigts fiévreux de l'un et de l'autre refaisaient la découverte des surfaces interdites. À la lumière vacillante d'une faible bougie, les seins d'Andréanne scandaient langoureusement de leur ombrage, en filigrane sur le mur opposé, les alternances du désir amoureux, telle la crête des monts des Béni Chougrane sur l'horizon brumeux d'un soleil déclinant.

– Vous me faites mourir à feu lent, prince des royaumes intérieurs, murmura Andréanne dans un soupir d'envie à ciel découvert.

– Votre flamme me consume d'une ardeur obsessionnelle, ma déesse bien-aimée, haleta-t-il, le visage contorsionné par un désir intenable.

Unis dans un élan d'excitation simultané, les limites connues pour en arriver à ces moments extatiques furent à nouveau pulvérisées. Une explosion de sensations les projeta l'un et l'autre dans un monde de couleurs chatoyantes où une armée de chérubins célébraient, au son d'une harpe céleste, le bonheur ineffable atteint par les amoureux dans leur union paradisiaque.

Le soleil avait entamé sa course depuis quelque temps au-dessus de la chaîne des monts Atlas, mieux connus dans cette région sous l'appellation monts de Saida, à même le Massif de l'Ouarsentis. Les deux étrangers, dans la bourgade semi-désertique de Franchetti, avaient pris place à l'une des quelques tables sur la terrasse de l'auberge. Sur le côté opposé, et tout près des modestes demeures arabes du village, s'étendait la surface aqueuse d'un lac aux proportions imposantes. En effet, vers le nord comme vers le sud, à peine était-il possible d'apercevoir le littoral de l'étendue marine. Par contre, la crête des Atlas était visible en direction est, vers le Maroc. Cette chaîne impressionnante dardait ses pics majestueux sur un ciel d'un bleu sans nuages, par-delà l'étendue miroitante du lac et des hautes collines à l'horizon.

– Quel paysage, s'extasia Andréanne, qui regrettait ses pinceaux et tubes de peinture à l'huile. Un tableau de rêve !

L'aubergiste, d'un naturel débordant de gaieté, apporta le déjeuner et les salua d'un œil complice en constatant la mine épanouie de ces deux visages au teint contrastant.

– Il vaudrait mieux s'en tenir à la discrétion sur notre itinéraire, fit prudemment Muktar pendant que l'hôte retournait à l'intérieur pour ensuite revenir avec un breuvage fumant.

– Vous avez bien dormi, mes amis ? s'informa-t-il cordialement en s'attablant avec eux sans plus de formalité.

– Certes, acquiesça le Camerounais avec un large sourire. Quoi de mieux que l'air frais de la nuit sous ce climat surchauffé ?

– Ah, mais si vous allez plus au sud, le climat du Sahara vous fera regretter la brise de ce lac enchanteur, fit-il habilement en guise de question sur leur intention de voyage.

– Nous nous limiterons à une visite dans les environs, je crois.

– Si vous n'allez pas plus loin, vous passerez alors quelque temps dans cet endroit pittoresque, dois-je espérer. Si tel est le cas, vous serez chez vous le temps qu'il vous plaira dans la demeure d'Ibrahim, votre humble serviteur, s'exclama l'aubergiste en se levant de table pour exécuter une courbette comique.

– Une brève tournée au-delà de ces monts, dans les vastes étendues du Sahara, ajouterait à notre expérience, risqua sur un ton anodin Andréanne, qui cherchait à savoir si des moyens de transport étaient disponibles dans cette direction.

– Il vous faudra affréter un taxi et ces derniers sont rarissimes dans ce bled montagnard. Mais, j'y pense, il passe des convois qui traversent le désert. Il vous faudrait cependant revenir avec un autre… fit l'aubergiste d'une voix hésitante. Croyez-en ma parole, je ne vois aucun avantage à ce que vous alliez risquer votre vie sur cette mer de sable. On y suffoque de chaleur le jour, et les nuits sont d'un froid qui vous transit jusqu'à la moelle des os. Il faut être aguerri à ce genre d'expérience, confia-t-il à la visiteuse en baissant la voix comme pour partager avec elle un secret. Alors qu'ici, avec la brise des montagnes et l'eau limpide de cette plage, quelles vacances vous passeriez ! Laissez votre copain goûter aux misères du désert si ça lui chante. Je m'occuperai de vous ici, pendant ce temps, ajouta-t-il d'une voix suave, avec un clin d'œil inoffensif à l'adresse du Camerounais.

– Vous êtes trop aimable, psalmodia Andréanne sur le même ton. Mais je m'en voudrais de vous obliger de la sorte. J'opte pour le désert. J'en ferai mon affaire.

– Elle ne manque surtout pas d'envergure la petite dame, conclut théâtralement Ibrahim en levant sa tasse d'un geste triomphal vers Muktar, pour le prendre à témoin.

– Mais puisque je te dis qu'Andréanne est attirée par les risques absolus ; c'est là le cœur du problème. Inutile de chercher plus loin pour comprendre son comportement, répétait Aline, la sœur jumelle d'Adrianne.

– Je crois que la question n'est pas aussi simple, continua Simone, l'aînée des sœurs Leclerc. Bien sûr, son comportement est imprévisible et comporte des choix qui nous semblent extrêmes, mais qu'est-ce qui la pousse à aller dans ce sens ?

– Ne se pousse-t-elle pas elle-même ? On la connaît depuis assez longtemps pour savoir qu'elle n'est pas devenue originale et excessive depuis quelques jours seulement. C'est dans sa nature ; elle est comme ça, c'est tout. Et même avec toute la bonne volonté de nous trois réunies, je ne crois pas qu'on puisse arriver à la changer.

– Pour l'instant, fit Marthe, il s'agirait plutôt de lui sauver la vie si l'on considère les dangers qu'elle court en Algérie. Son dernier message d'Alger était loin d'être rassurant. Elle semblait lancer un appel à l'aide.

– Et après, aussitôt qu'elle n'a pas ce qu'elle veut, elle appelle à l'aide.

– Voyons, Aline ! Andréanne est notre sœur et on ne va pas rester les bras croisés et la laisser périr.

– Mais que veux-tu qu'on y fasse ? Elle est à l'autre bout de la planète et elle l'a bien cherché. Malgré toutes les mises en garde, c'est elle qui a décidé d'y aller, observa Aline, qui n'arrivait pas à excuser le comportement de sa jumelle.

– De plus, d'observer Marthe, pourquoi avoir fait confiance à un individu de là-bas qu'elle n'avait jamais vu et qui l'attirait en lui promettant la lune ? Où est la prudence dans tout ça ?

– Bon, de répondre l'aînée, encourage-la donc, tant qu'à y être. Et, après tout, pourquoi chercher à l'aider s'il n'y a rien à faire ?

– Alors, tu as une idée, toi ? Entrevois-tu une possibilité de lui venir en aide ?

– C'est donc dire qu'on n'essaiera même pas de penser à quelque chose ?

La sonnerie du téléphone retentit dans la résidence de Simone, et celle-ci décrocha le combiné. De Lévis, Milaine s'informait où en étaient les pourparlers au sujet de sa mère. Ses tantes avaient-elles trouvé une solution pour la sortir de l'Algérie ? L'argent envoyé plus tôt suffirait-il à l'extirper de ce mauvais pas ? Y avait-il autre chose à quoi on n'avait pas songé ? En fait, Milaine avait foi en la sagesse de ses tantes. Étant de cet âge, au début de la vingtaine, qui voyait les aînées au-dessus de ce qui, pour elle, représentait un défi quotidien, elle rêvait encore du jour où elle serait à son tour à cette étape de l'existence où, comme ses tantes, les événements n'auraient plus de prise sur elle.

En effet, ces admirables personnes n'avaient plus à lutter pour la survie, le pain, les vêtements et la toiture. Par leur attachement aux valeurs de base et leur fidélité à leurs engagements familiaux, la sécurité matérielle et affective leur était acquise. Elles étaient soumises à la vie, et en retour la vie leur était également soumise. À Milaine, une brunette assez coquette, l'échange semblait équitable, à cet âge où l'engagement baigne dans l'huile d'un équilibre conjugal encore nouveau. Les années de travail, de service, d'endurance et de ténacité, même, dont ses tantes lui avaient ouvert le grand livre à quelques reprises, semblaient découler du fait que la vie le voulait ainsi et que cet ordre naturel des choses allait de soi.

Mais voilà que sa mère et ce qu'elle avait chambardé remettaient l'ordre naturel des choses en question. Pour Milaine, une nouvelle couleur venait de s'ajouter entre le noir et le blanc où se rangeaient de façon habituelle les valeurs qu'elle avait classées. Un gris fait d'incertitude et d'incompréhension habitait désormais le décor de son univers. En choisissant de renoncer à ses engagements, sa mère ne renonçait-elle pas également à la sécurité qu'elle avait méritée après toutes ces années ? De plus, fallait-il la ramener sinon au logis, du moins au pays, contre son gré ? On ne pouvait également la laisser en danger sans lui apporter d'aide.

Toutes ces considérations pesaient trop lourd sur ses épaules non encore aguerries à ce genre de fardeau. Sa sœur aînée de deux ans refusait de se mêler à l'affaire. Amanda n'avait que trop à faire avec ses trois enfants en bas âge. Une châtaine qui avait hérité du sourire radieux de sa mère, elle avait par contre d'Andréanne la propension au changement de cap radical lorsque la vie n'était pas tout sourire pour elle. De son propre avis, elle ne se sentait pas qualifiée pour émettre une opinion de poids au sein du conseil de famille et cédait volontiers ce privilège à sa sœur Milaine.

Celle-ci servait donc d'intermédiaire quelque peu involontaire entre les nouvelles qu'elle recevait d'Afrique sur le web et ses tantes, à qui revenait le rôle d'analyser la situation et d'établir une stratégie sur l'intervention et l'aide à prévoir dans la présente situation.

– Eh bien, Milaine, dit Aline à l'appareil, nous n'arrivons pas à formuler un accord, tes tantes et moi, sur ce qu'on pourrait faire pour ta mère. As-tu une idée ?

– Le problème, de répondre Milaine, c'est qu'on ne peut savoir avec exactitude où elle se trouve en ce moment.

– Que disait son dernier message ?

– Elle avait une dette à régler et elle parlait d'argent qu'on devait lui envoyer via son compte bancaire. Je crois que votre décision de ne lui envoyer qu'un montant raisonnable allait dans le bon sens, et c'est ce que j'ai fait.

– Crois-tu qu'elle est encore à Alger ?

– Comment le savoir ? La dernière communication date de trois jours. Et depuis, rien. Il est possible qu'elle et son compagnon aient tenté de se soustraire à leurs débiteurs. Dans ce cas, elle serait en transit ailleurs où il ne lui est pas possible de donner signe de vie.

– Ya-t-il une autre possibilité ?

– Tout est possible, et pourquoi pas une séquestration ? Dans ce cas, comment donner des nouvelles ?

– Marthe nous suggère de nous en remettre aux autorités.

– Mais quelle autorité ? demanda Milaine, embarrassée.

– On en discute et on te rappelle tout à l'heure, d'accord ?

La journée s'annonçait chaude et le car, un camion Toyota genre Landrover, roulait depuis une vingtaine de minutes, direction franc sud. Le transporteur était chargé à pleine capacité, de passagers surtout mais aussi de colis de tous genres. Muktar avait pris place dans la boîte arrière avec huit autres voyageurs tandis qu'Andréanne, la seule femme à bord, avait reçu un traitement de faveur. Elle occupait le siège avant, entre le conducteur et son aide.

Jusqu'à Saida, la route serpentait le long du lac et offrait à la vue le spectacle d'un panorama digne d'un véritable paradis. Des palmiers agrémentaient çà et là les pentes verdoyantes des collines en retrait de l'étendue marine. Au-delà des monts de taille réduite, vers l'Occident, s'estompait graduellement dans la distance et sur l'azur du firmament, avec des teintes de gris moins prononcées, la ciselure imposante des Atlas.

– Quel paysage, s'exclama à nouveau Andréanne, le regard rêveur et perdu dans la distance de la verdure tropicale.

– Regardez-y de près, madame. Dans peu de temps, nous aurons franchi ce col montagneux que vous voyez là, obtempéra le chauffeur, l'index pointé vers l'avant, avec un regard évaluateur de ses capacités de passer l'épreuve du désert, car le Camerounais lui avait dit au départ de Franchetti que le couple se rendait au bout de l'itinéraire, à la frontière du Mali.

– La traversée du désert n'est pas un exploit à la portée de tous, remarqua d'un ton ferme l'Arabe au volant de la Toyota.

D'un teint plus foncé que la moyenne, les traits durs de Zubdah, sur un visage dépourvu de compassion, témoignaient de son endurance et de son habitude des rudes épreuves. Une longue balafre allant de l'oreille droite à la commissure des lèvres lui donnait une allure de truand, issu tout droit des bas-fonds d'Alger. En voilà un qu'il faut éviter de contrarier, pensa Andréanne en imaginant ce costaud au centre d'une bagarre.

– Hamdi, dit-il, s'adressant à son aide de route, aurons-nous assez d'eau pour la traversée ?

– Les trois tonneaux derrière sont pleins, et chaque passager a un contenant de plusieurs litres. Il faudra toutefois s'arrêter pour eux et faire le plein à Saida tout à l'heure.

Hamdi était du type nerveux et sans cesse aux aguets des humeurs de son maître. Au moindre signe de mécontentement, il perdait son sourire et se demandait ce qui n'allait pas. La barbe et les cheveux noirs frisés lui donnaient à lui aussi un air farouche. Mais contrairement à Zubdah, dont un froid de glace habitait le regard en permanence, on sentait sous l'indifférence apparente du serviteur une dose réelle de compassion pour les plus faibles que lui. Andréanne s'en rendit compte et se dit que dans une situation tendue, pendant les jours qui allaient suivre dans le désert, c'est sur ce dernier qu'elle allait devoir compter, advenant que Muktar ne suffise pas à la tâche.

– Et vous deux, toi et ton compagnon, questionna Zubdah en fronçant les sourcils, vous avez des contenants pour vos réserves d'eau ?

– Je crois que non, murmura Andréanne en essayant de se souvenir si Muktar avait pris des mesures en ce sens.

– Tu vas t'occuper de ça au prochain village, Hamdi ?

– D'accord, patron.

Le robuste camion Toyota grimpait lentement le sentier tortueux en direction du col des Monts de Daia, à même les Atlas Tellien. Les pentes verdoyantes dans la région entourant l'agglomération de Saillira, où Hamdi avait refait le plein en eau pour chacun, avaient laissé soudain la place à des élévations plus arides. D'énormes pans de rochers dressaient leurs murs abrupts sur le parcours de la route menant aux hauts plateaux de Saïda. Le camion toussota sous l'effort à fournir pour contourner un de ces pans de rochers, et Zubda fit halte en haut d'une corniche afin de donner une chance au moteur de son véhicule de reprendre son souffle. Quelques instants d'arrêt permettraient à la mécanique d'éviter une surchauffe.

– Un panorama du tonnerre ! s'exclama Muktar à l'adresse de ses huit compagnons dans la boîte du camion, le souffle coupé par la vue à cette altitude.

Le soleil était déjà à mi-chemin dans son essor vers le zénith. Plus bas, on pouvait encore apercevoir le lac et une lisière de verdure en direction de Franchetti. Les passagers sautèrent de la boîte et se dirigèrent, pour la plupart, vers la bordure de la falaise.

– Comment se porte ma princesse ? s'informa Muktar en s'approchant d'Andréanne qui, elle aussi, profitait de la halte pour se dégourdir les jambes.

– Une princesse secouée de toutes parts, réagit-elle, une main sur les hanches. J'espère atteindre la Côte d'Ivoire autrement qu'en pièces détachées, lui souffla-t-elle péniblement.

Un cri retentit soudain en direction du promontoire où s'étaient avancés les occupants de la boîte du camion. La voix alla comme en s'éloignant, puis s'éteignit. Andréanne et Muktar se regardèrent, surpris, et se dirigèrent avec le chauffeur et son aide vers le groupe, apparemment aux prises avec un mouvement de panique.

– N'approchez pas ! prévint Saïd, un des Arabes, les yeux agrandis par la surprise et la peur.

– Que se passe-t-il ? s'enquit Zubdah, qui allait donner l'ordre à chacun de remonter à bord, impatient qu'il était de reprendre le volant.

– Par Allah, s'exclama Saïd d'un geste d'impuissance, l'un de nous n'est plus.

– Qui donc ? Et où est-il ?

– Atha, fit Saïd, horrifié. Il est tombé en bas de la falaise.

– En bas ! s'exclama Andréanne en regardant la plaine à quelques milliers de mètres plus bas. Comment a-t-il pu tomber là ? murmura-t-elle en regardant Muktar d'un air hébété.

Au sein du groupe des sept passagers encore sur la crête où avait eu lieu le drame, l'agitation était grande. Certains scrutaient les profondeurs de l'abîme en quête d'un indice concernant la victime. Mais quelque cent mètres plus bas où se trouvait la prochaine corniche, il était difficile de repérer quoi que ce soit sans s'approcher du rebord, à l'endroit où Atha avait vraisemblablement perdu pied. Messad, un Camerounais tout comme Saïd, semblait encore plus attristé par la perte d'un compagnon de son pays d'origine que s'il s'était agi de quelqu'un d'autre.

– Alors, trancha péremptoirement Zubdah en tant que chef de l'expédition, quelqu'un peut-il me dire comment c'est arrivé ?

– Tout porte à croire qu'un pan du rocher sur lequel il était debout s'est détaché et l'a emporté dans le vide, plaida Saïd. J'étais là, près de lui. On regardait le paysage lorsqu'il a dégringolé comme si une trappe s'était ouverte sous ses pieds. Je n'ai pas eu le temps de l'attraper tellement ça s'est passé rapidement.

– Bon, trancha alors le chauffeur, il faut descendre en bas et tenter de le retrouver, dans l'état où il est.

Saïd jeta un regard vers Messad qui, jusque-là, s'était abstenu de tout commentaire. Ce dernier, un jeune homme robuste au début de la trentaine, arborait une mine sérieuse et légèrement renfrognée. Ses yeux perçants et vifs allaient d'un membre du groupe à l'autre sans sourciller. Vêtu de pantalons bouffants et d'un chemisier ceinturé d'une étoffe laineuse et bouclée à la taille, son apparente indifférence semblait cacher une volonté de contrôler la situation en cours.

– Il semble évident que nous ne pouvons plus rien pour lui, fit-il simplement. Pourquoi ne pas le laisser reposer en paix là où il est ?

– Si les siens mènent une enquête, il faudra être en mesure de rendre des comptes pour éviter les emmerdes, trancha Zubdah. Allons, nous resterons trois ici à surveiller le camion pendant que les autres iront par le sentier rejoindre le point d'appui où se trouve la victime.

Il était presque midi lorsque l'expédition chargée de localiser le corps du Camerounais fut de retour. Plus de deux heures s'étaient écoulées depuis l'accident sur la corniche. Djuma, un Arabe algérien de quarante ans, émergea le premier du groupe. Il était suivi d'Ahmed, son congénère du même âge. Ces deux solides gaillards au teint cuivré gardaient habituellement le silence. Cette fois, c'est Ahmed qui répondit au conducteur du camion en lui résumant la situation :

– Notre camarade a été retrouvé sans vie sur le plateau plus bas. Nous avons enseveli ses restes sous un amas de pierres à l'endroit même où il s'est écrasé. Voici sa carte d'identité et les quelques documents qu'il avait en sa possession.

Ourmih, le seul Ivoirien du groupe, dans la vingtaine avancée, vint placer les sandales et le turban de la victime dans la boîte de la Toyota. Sa tristesse était évidente, et Andréanne s'approcha de lui pour partager son angoisse. Elle lui prit la main et lui offrit une parole de réconfort.

Elle eut soudain le sentiment que l'Ivoirien allait lui confier quelque chose d'important, mais il se borna à la regarder, puis, se tournant vers Messad qui se tenait tout près et semblait les épier, il s'éloigna d'elle et rejoignit le groupe qui s'apprêtait à remonter à bord. À compter de cet instant, une appréhension, à peine perceptible d'abord, puis allant grandissant, s'installa au fond d'elle-même.

Même après qu'elle eut repris sa place sur la banquette avant de la Toyota et que chacun se fut réfugié dans le silence de son univers intérieur, elle ne put s'empêcher de songer à l'allure sévère et autoritaire de Messad. Ce Camerounais mystérieux aurait-il tramé un complot pour se débarrasser d'Atha ? Si c'était le cas, dans quel but ?

Le camion franchit bientôt le col de la chaîne montagneuse et le sentier, à peine carrossable jusque-là, déboucha sur une pente moins abrupte, sinuant en douce vers une région surélevée, un genre de plateau aride et agrémenté çà et là par des oasis de verdure. Des cocotiers pointaient leur touffe de palmes sur l'azur d'un ciel radieux.

Andréanne était perdue dans les méandres d'une série de conjectures qui lui apportaient plus de questions que de réponses. Les trois Camerounais, et même les quatre, avec Muktar, se connaissaient probablement. Atha, la victime, était-il devenu encombrant pour les autres ? En savait-il trop sur une affaire qui risquait de compromettre le trio ? Muktar ne pouvait évidemment être placé sur le même niveau. Il était trop sincère et trop bien intentionné pour faire partie d'un aussi bas complot, si complot effectivement il y avait. D'ailleurs, n'était-il pas avec elle, près du camion, au moment du drame ? Et qui sait, il ne fallait pas exclure non plus la possibilité qu'il ne s'agisse là que d'un accident, purement et simplement. Elle allait s'en remettre à Muktar au prochain arrêt. Il aurait certes son idée sur l'affaire.

De son côté, Zubdah, au volant du camion, mettait toute son attention à circonscrire les obstacles sur la route. Hamdi observait, lui aussi, un silence qu'Andréanne n'osait rompre de ses questions, lesquelles, pensait-elle, auraient bien l'occasion de recevoir une réponse avec le temps et un minimum d'observation de sa part.

Cependant, au-delà de ses efforts pour calmer ses appréhensions, un soubresaut de crainte flottait encore dans les tréfonds de son subconscient. La possibilité de complot revenue sur l'écran de ses analyses, Andréanne céda à la curiosité de chercher un motif derrière le tout. Que peuvent bien chercher quatre Camerounais en transit de l'Algérie à l'Afrique noire, via le désert du Sahara, le plus sauvage et le plus mortel de tous les déserts du monde ?

La question était de taille et le fait de la poser obligeait à y prêter attention. Il fallait que de risquer ainsi sa vie l'emporte sur un autre péril encore plus grand. Tout comme Muktar et elle-même, ne risquaient-ils pas leur vie dans la traversée du désert pour échapper au danger de devenir esclaves et prisonniers d'une force qui voulait leur enlever leur liberté ? En y pensant bien, peut-être ces Camerounais retournaient-ils vers leur pays pour échapper à un danger encore plus grand que le péril du désert.

Pourrait-on imaginer que ces hommes d'origine commune aient commis un vol ou ourdi un crime quelconque ? Dans l'affirmative, on pourrait supposer que tous ceux qui risquent leur vie en traversant le désert le font pour la sauver. Mais le vraisemblable nous rappelle que le désert a été traversé depuis toujours et pour des raisons aussi diverses que celles des caravanes de marchandises en passant par celles des explorateurs, sans oublier ceux qui l'habitent pour s'y réfugier ou en faire leur paradis.

– Serais-je en train de jouer au détective ? pensa-t-elle avec un sourire amusé à l'endroit à son imagination.

Puis, elle se souvint, en regardant passer un oasis de verdure du côté de Hamdi, que les histoires de ses lectures antérieures présentaient invariablement des détectives qui s'en tenaient aux faits lorsque la situation devenait trop complexe. Son analyse ne pouvait négliger, dans le cas présent, le fait qu'un passager de leur expédition n'était plus. Sa mort avait été confirmée sur un rapport écrit qu'avait rédigé Zubdah et qu'il remettrait aux autorités, au prochain poste de gendarmes.

Tard en après-midi, la Toyota dévala une longue pente vers une étendue de terrain ressemblant à une vallée. Le chauffeur, dont la conversation avait repris du service, répondit à la question d'Andréanne que la dénivellation où ils se trouvaient portait le nom de Chott ech Chergui. La langue arabe désigne ainsi, du nom de *chott*, une terre salée qui entoure un marécage salin appelé *sebha*. Ce genre de savane, sans débouché vers la mer, devenait pratiquement infranchissable pendant la saison des pluies. En mai, cependant, le sentier offrait une base assez solide pour éviter les embourbements et dérapages dus à la crue des eaux.

L'agglomération désertique de Kreider, à l'entrée de Chott ech Chergui, donna l'occasion d'une halte où les passagers en profitèrent pour se restaurer. Certains puisèrent dans leur réserve de nourriture qu'ils déballèrent sur une place publique où un cantinier offrit, à chacun, un thé à la menthe du désert sur des tables près de son poste de service.

Andréanne vint se blottir contre Muktar et le regarda déguster des dattes que le cantinier de Kreider leur avait vendues en quantité suffisante pour les jours à venir. La traversée, dont la durée dépendait des obstacles imprévisibles sur le parcours, risquait de s'éterniser et il fallait prévoir le pire pour éviter de s'exposer inutilement. Les dattes constituent une excellente source de calories, sans compter qu'elles se conservent très lomptemps, pensa Andréanne.

– Combien de jours nous faudra-t-il pour atteindre la Côte d'Ivoire ? fit-elle en s'efforçant de ne pas revenir sur la question du drame survenu plus tôt.

Elle préférait attendre qu'il lui en parle de lui-même, pour ne pas laisser deviner ses doutes et inquiétudes dans l'affaire.

– Tout dépend, ma princesse. Cinq jours si tout va pour le mieux ; le double si des retardements se mettent de la partie.

– Dix jours à mourir de chaleur sur la banquette d'un camion qui vous démolit à force de vous secouer, gémit-elle. Je suis déjà épuisée après à peine une journée depuis qu'on a quitté la civilisation.

– Notre situation à Alger n'avait rien de plus reluisant à offrir. Qu'en penses-tu ?

À la nuit tombante, la Toyota et ses passagers approchaient d'un point d'eau sur les Hautes Plaines de Saïda. Le passage des marécages de Chott ech Chergui s'était fait sans anicroche et, à Bouktoub, une oasis où campaient quelques familles bédouines nomades, le sentier avait repris de l'altitude. Le crépuscule avait fait diminuer la chaleur. Une brise fraîche et douce souffla d'abord par les fenêtres ouvertes du camion et, au moment où la vue de l'oasis de Méchéria vint mettre un terme à cette journée de route, la brise avait cédé la place à un froid inconfortable.

Chacun refit sa réserve d'eau à la source et s'installa pour la nuit sur le sable du désert encore chaud. La Québécoise n'avait jamais bivouaqué ainsi à la belle étoile. Les autres avaient des couvertures pour se protéger du froid de la nuit saharienne. Dans leur départ précipité d'Alger, les deux fuyards n'avaient apporté qu'une mince couverture qu'ils étendirent sur le sol. Andréanne n'avait que son manteau pour se couvrir, aussi dut-elle se blottir dans les bras de son protecteur et, grâce à la chaleur que dégageaient leurs deux corps, elle finit par y trouver quelques heures de sommeil.

À l'aube, une voix douce et profonde psalmodiait un air étrange qu'Andréanne avait entendu dans un passé encore récent. À demi éveillée, elle se laissait bercer par les sons de cette mélodie aux accents touchants. Soudain, un picotement lui parcourut le bras droit. Elle ouvrit un œil et aperçut sur son épaule deux petits yeux qui la dévisageaient d'un air curieux.

Elle eut un mouvement de recul et le petit rongeur, un lézard du désert, sauta aussitôt sur le sable et disparut avec un cri de frayeur.

Ahmed et Djuma étaient assis en samandi, tournés vers l'Orient. Les deux Algériens adressaient leur supplications à Allah, l'un en silence et l'autre par un chant qui ne semblait à l'étrangère qu'une suite de syllabes dépourvues de sens. Elle contempla les premières lueurs du jour et se recueillit un moment en se laissant emporter par l'effet incantatoire de la voix qui se tut, finalement, avec la disparition des dernières ombres de la nuit.

Dans les petits groupes disséminés çà et là, la vie reprit peu à peu et chacun se dirigea vers le camion après avoir grignoté quelques aliments puisés à même ses effets de voyage.

– Tu as vérifié la réserve de mazout ? s'enquit Zubdah à son aide de camp, alors qu'il s'apprêtait à négocier un tournant du sentier à la sortie de Méchéria.

– Oui, patron. Nous en avons amplement pour atteindre la frontière du Mali et revenir à notre point de départ.

– Comment, s'enquit Andréanne étonnée, vous n'allez pas en Côte d'Ivoire ?

– Il faut payer une taxe pour traverser la frontière. Alors, en ce qui nous concerne, à chacun son territoire. À la limite sud de l'Algérie, un transporteur du Mali prendra la relève pour aller dans cette direction. Vous n'aurez qu'à effectuer le transfert.

– Eh bien, pensa Andréanne, confuse, on n'est pas au bout des surprises. Et pour chasser les pensées d'insécurité et d'inconfort qui assaillaient son esprit, elle se concentra sur le paysage désertique s'étendant à perte de vue devant eux. La chaleur ne cessait de monter à l'intérieur du camion malgré les vitres grandes ouvertes qui assuraient un déplacement d'air n'arrivant pas à empêcher un sentiment d'inconfort grandissant.

Lorsque l'expédition arriva en vue des Monts des Ksours, des insectes ressemblant à de grosses libellules voltigeaient à basse altitude. Des centaines de ces mouches lourdes et embarrassantes envahirent la cabine du camion par les fenêtres ouvertes et il ne fut bientôt plus possible de voir quoi que ce soit.

– Qu'est-ce que c'est que cette merde ? explosa Adrianne en gesticulant telle une néophyte tombée à l'eau.

– Les cafards sont arrivés, constata laconiquement Zubdah, qui avait dû ralentir l'allure à cause de la mauvaise visibilité.

– Quelle peste ! Ne peut-on pas fermer les fenêtres et les empêcher d'entrer ? tempêta la Canadienne, devenue quelque peu hystérique.

Le conducteur et son aide remontèrent laborieusement les vitres, dont le mécanisme était en partie coincé par une accumulation de sable. Au bout d'une quinzaine de minutes, cependant, la chaleur était devenue si insupportable que la passagère fut sur le point de s'évanouir.

– De l'eau, murmura-t-elle, les poumons en feu. Hamdi ouvrit sa gourde et lui versa un filet d'eau sur la tête. Elle reprit ses couleurs et, saisissant la gourde, avala quelques gouttes du liquide qui lui remirent les idées en place.

– Par Allah, constata le conducteur, on a fait une erreur en acceptant cette femme à bord. Elle ne se rendra pas à la frontière du Mali.

Andréanne, qui était revenue suffisamment à elle pour entendre ces propos, tenta de réunir ses forces pour lui envoyer une de ses réparties, mais elle se ravisa en pensant qu'il serait préférable de ne rien dire et se contenta de remercier Hamdi pour son geste. L'évidence lui indiquait qu'entre les deux maux que constituaient la chaleur étouffante et les moustiques, il serait préférable d'essayer d'endurer les cafards.

– Excusez-moi, fit-elle en se sentant faiblir à nouveau, pensez-vous qu'on pourrait avoir un peu d'air ?

– Certainement, répondirent en chœur les deux Arabes en ouvrant à nouveau les fenêtres.

Au même instant, les cafards s'engouffrèrent à qui mieux mieux dans la voiture, parmi les passagers. Andréanne se retourna en gesticulant pour les écarter et vit, par la vitre arrière, Muktar et les autres passagers courbés vers le plancher de la boîte de la Toyota, une pièce d'étoffe au-dessus de la tête, vraisemblablement pour se protéger contre cette peste du désert.

– Les cafards ne piquent pas et ne vous feront aucun mal, remarqua avec pertinence Hamdi. Ils sont gênants et encombrants, certes, mais leur préoccupation se limite à vous nettoyer la peau pour peu que vous les laissiez à leur tâche. Ils y absorbent le sel et les toxines qu'évacuent les pores de la peau par la transpiration.

– Je les trouve dégueulasses !

– Fermez les yeux et laissez ces esthéticiens vous prodiguer leur traitement. C'est gratuit, en plus, avança courtoisement Zubdah, avec un sourire bienveillant.

La voyageuse était incidemment confrontée à un dilemme. Elle se couvrit le chef de son manteau mais dut bientôt l'enlever en raison de la chaleur intenable qui l'assaillait. Elle lutta encore quelque temps à repousser les cafards, jusqu'à Aïn Sefrn, un point d'eau, un genre d'oasis perchée à l'embouchure d'un col enjambant les Monts des Ksour.

Tous profitèrent de la halte pour se dégourdir les jambes et se rafraîchir à l'ombre des quelques palmiers qui ornaient et coloraient le paysage à cet endroit. L'altitude des montagnes contrastait remarquablement avec l'air suffocant des Hauts-Plateaux. En effet, une brise plus tempérée soufflait, bienfaisante, en provenance des pics sur la cordillère des majestueux Atlas.

Autre motif de réjouissance, les cafards ne semblaient pas friands de haute altitude. Ils avaient complètement disparu dans le dernier kilomètre de pente raide que la Toyota avait laborieusement gravie en toussotant.

– J'ai l'habitude de ces bestioles, répondit Muktar à la question de sa bien-aimée au sujet des volatiles du désert. On s'y fait. Tu verras.

– Je crois que je préférerais un autre genre de torture à celle de ces repoussantes vermines sur mon corps. J'espère que nous en avons fini avec elles.

– Je crains pour toi, ma chérie, que la surprise ne s'arrête pas là. Mieux vaut te résigner tout de suite et user de patience. La traversée ne fait que commencer. Mais je peux te promettre une chose, lui confia-t-il avec une lueur d'amour dans le regard. Je veillerai sur toi tout au long de notre périple et nous arriverons sains et saufs en Côte d'Ivoire, où j'ai des amis qui nous aideront à réaliser nos projets.

Elle le contempla avec tendresse et admiration. Quel courage, pensa-t-elle. Ce type a affronté les périls du Sahara pour me rejoindre en Algérie dans le but de poursuivre son itinéraire vers Paris, où une compagnie s'était engagée à produire un disque de ses chansons. Et le voilà qui refait la route à rebours. Puis il lui vint l'idée de s'informer s'il avait des détails sur l'accident qui avait emporté Atha, son compatriote, dans une chute fatale. Avait-il une idée sur cette affaire ? Pourquoi ne lui en parlait-il pas ? Que signifiait le regard autoritaire et courroucé de Messad à l'endroit des témoins de cet incident ? Avait-il quelque chose à cacher ?

Au moment où elle allait lui faire part de ses appréhensions, Zubdah donna le signal de remonter en voiture. Elle hésita un instant et se dit que la prochaine occasion serait sans doute plus favorable. Elle décida de surseoir à sa curiosité d'en savoir plus long.

Aïn Sefrn ne fut bientôt plus qu'un souvenir dans les méandres du sentier que traversaient les voyageurs à travers les passages des monts Atlas. D'énormes blocs de granit, que contournait le tracé carrossable, surplombaient le dénivelé des pentes vers des sommets encore plus élevés. Çà et là, l'érosion avait provoqué des éboulis et il fallait parfois s'arrêter pour dégager le sentier des amas de rocaille accumulés. À ces occasions, les passagers de la boîte arrière prêtaient main-forte à Hamdi, à qui revenait la tâche de diriger les opérations.

À certains endroits, les tournants s'avéraient si étroits que le conducteur devait procéder avec le maximum de prudence et faire marche arrière sur un mètre ou deux, en corrigeant sa direction pour éviter de déraper et de plonger dans un précipice de plusieurs centaines de mètres.

– Nos vies sont entre vos mains, confia Andréanne à Zubdah, chez qui la tâche ne semblait pas provoquer de tensions outre mesure.

– Et dans celles d'Allah, fit ce dernier en écho, les yeux rivés sur l'étroit sentier qui, à cet instant, bifurquait en pente raide vers une vallée sur le versant opposé, au dernier contrefort du massif central des monts Atlas.

– Nous serons bientôt dans le vrai désert, indiqua Zubdah, l'index pointé sur des étendues de sable à perte de vue vers le sud.

– Et les cafards, il y en a aussi par là ? s'informa Andréanne, que l'expérience avait irritée au plus haut point.

– Que si, ma petite dame, quoiqu'en quantité moindre en raison de la chaleur plus intense. C'est pour cette raison que nous allons en direction sud-ouest sur deux cents kilomètres avant d'affronter les dunes plus au sud. Il reste quelques points d'eau à atteindre, et l'altitude des Djebel Béchar nous permettra de jouir d'un répit avant l'enfer du Sahara.

Ces mots résonnaient encore à son esprit lorsqu'Andréanne, éreintée par les soubresauts du camion après les dernières heures sur le sentier montagneux, aperçut les touffes de verdure de l'oasis de Revoilà Beni Qunif entre deux élévations rocheuses. Le temps de contourner une autre paroi rocailleuse et le camion s'immobilisa près d'une source bouillonnant d'une eau cristalline et fraîche. Le bassin de rocaille aménagé pour retenir le précieux liquide déversait son trop-plein par une dalle de terre cuite vers un étang dans lequel chacun se rafraîchit en s'éclaboussant à qui mieux mieux.

Andréanne s'y trempa les pieds en observant la joyeuse bande à l'œuvre.

– Viens te joindre à nous, l'invita Muktar en la tirant gaiement par le bras.

Réticente à tremper dans cette débandade générale, elle perdit pied et se retrouva au centre du groupe, trempée de la tête aux pieds. Pendant que le Camerounais la tenait dans ses bras à la surface de l'eau, tous le regardaient avec un œil d'envie. Que diable avait-il de plus qu'eux pour mériter les faveurs d'une Blanche aussi ravissante ? Puis, devinant ce que ses compagnons souhaitaient tous tacitement, il leur donna satisfaction en déposant un baiser sur les lèvres de la sirène flottant sur le dos. Une salve de bravos accueillit ce geste, et le galant gentilhomme camerounais, encouragé par la gaieté ambiante, annonça d'une voix magnanime, en envoyant flotter Andréanne à la ronde, qu'il offrait à chacun le plaisir d'en faire autant... si l'invitée y consentait, bien entendu.

Avant qu'elle ait eu le temps de réagir, le processus était enclenché et chacun y alla de son geste affectueux sous l'œil observateur de celui qui en était l'initiateur. Sachant qu'il était trop tard pour formuler une protestation, Andréanne décida de prendre la chose avec un sourire aimable qu'elle offrit à la ronde avec un brin de timidité.

En sortant de la mare, elle pensa à la danse du canard et refoula en elle l'envie qu'elle eut soudain de se secouer le bas des reins. Il ne faudrait tout de même pas provoquer outre mesure l'appétit de ces jeunes fauves, lui intimait son sens de la mesure.

Zubdah n'avait pas participé à la réjouissance générale, occupé qu'il était à vérifier la mécanique de son véhicule, de même que Messad, qui était resté hors de l'eau et la regardait froidement sortir en dégoulinant.

– Mon linge est complètement détrempé et l'on s'est servi de moi sans mon consentement, lança-t-elle à Muktar en sourdine, laissant libre cours à un mouvement de colère mal contenu suite au comportement de ce dernier. Que va-t-on penser de moi, à présent ?

– Eh bien, poursuivit-il d'une voix conciliante, votre linge vient de passer au lessivage rapide. Le soleil se chargera bien de faire le reste. De plus, il ne faut pas sous-estimer votre potentiel de régner dans le cœur de chacun de nous ici, Andréanne. J'ai la certitude que chacun des membres du groupe a eu pour vous le plus grand des respects en déposant sur vos lèvres ce geste de tendresse et d'affection.

– Et pourquoi, diantre, Messad me regardait-il avec cet air de défi, tout à l'heure ?

– Ah, lui, c'est une autre histoire. Je t'expliquerai plus tard, se borna-t-il à lui confier, laconique, en l'attirant avec lui à l'écart.

– Tu vois ce sentier, par là ? Il conduit à Figuig, un autre point d'eau, mais en territoire marocain. On n'aurait que deux kilomètres de marche à faire pour y accéder et franchir la frontière du Maroc.

– Et l'on éviterait l'interminable traversée du Sahara, suggéra Andréanne avec une lueur d'espoir.

– Mais je n'ai aucun contact par là. Alors qu'en Côte d'Ivoire, des amis nous aideront à enregistrer notre musique sur C.D. On n'aura plus alors qu'à commercialiser le produit.

En fin de journée, l'expédition avait franchi l'oasis d'Ouakda et atteint celle d'Abada, en tout deux cents kilomètres à peine, sur un sentier de montagne tortueux et difficilement carrossable. Un parcours pas très long pour toute une journée de marche, mais qu'Andréanne avait trouvé épuisant au plus haut point.

La nuit fut glaciale. L'altitude des Djebel Béchard, à ce point des Atlas, favorisait un écart de température contrastant radicalement avec celle du jour. Malgré l'état d'épuisement dans lequel elle se trouvait, Andréanne ne dormit que sporadiquement.

Dans un rêve, également intermittent, elle cherchait son chemin dans une tempête de verglas à la montréalaise, ne sachant dans quelle rue sombre chercher refuge. Toutes les maisons étaient dans un *black-out* général et partout où elle entrait, les gens étaient figés comme des statues de sel, le regard frigorifié comme ceux des personnages dans les monuments de glace au carnaval de Québec. Se serrant de son mieux contre Muktar, lorsque les morsures du froid la tiraient du sommeil, elle entendait le claquement de ses dents, tel le cliquetis d'un pique-bois sur le chicot d'un bouleau, dans une forêt canadienne en hiver. Ses grelottements lui donnèrent des crampes au ventre et elle attendit misérablement la levée du jour, une attente qui lui sembla une éternité. Au moment où les premières lueurs de l'aube effectuaient une percée entre deux crêtes rocheuses, vers le camp où bivouaquaient les voyageurs, elle était retournée à son cauchemar verglacé.

La panne de courant avait eu un heureux dénouement et le retour de la chaleur provoquait une fonte graduelle des personnages glacés. Elle s'approcha de l'un d'eux pour constater, en le touchant, qu'il s'était amolli et commençait à reprendre vie. Bravo, pensa-t-elle tout en se disant que tout n'était peut-être pas irrémédiablement perdu. Elle ouvrit l'œil et constata que son compagnon l'enlaçait doucement dans un mouvement d'intimité. Le monde de la réalité reprenait ses droits sur celui du chaos onirique : ce monde où ce qu'elle avait de plus cher était bien réel. Malgré le froid de la nuit, malgré la chaleur étouffante des Hauts Plateaux, malgré les cafards et les périples à venir d'une traversée incertaine, elle réalisa qu'elle avait fait le bon choix en trouvant ce qu'elle avait maintenant de plus précieux au monde : son amour pour Muktar.

Elle le regarda à nouveau avec tendresse et se blottit contre sa poitrine. Il émit un léger toussottement et, à cet instant où le calme matinal retenait le souffle du temps comme dans un moment d'éternité, elle se demanda avec curiosité où ses rêves pouvaient bien l'avoir transportée.

Le soleil s'était annoncé par les lueurs d'une aube fraîche et silencieuse. Il se dégagea majestueusement entre les dunes désertiques du Sahara et prit son essor pour se distancier rapidement de la ligne d'horizon, dispensant avec abondance chaleur et lumière à cette journée toute neuve. Le camp retentit bientôt d'activité, et la joyeuse bande des passagers reprit place à bord de la Toyota, qui émit quelques toussotements pour se dégager la voix de l'humidité nocturne et reprendre le ronronnement plus doux qu'on lui connaissait de façon habituelle.

Dans les heures encore tempérées du matin dont profitèrent les voyageurs pour avancer sur le semblant de sentier, entre les dunes d'un sable fin et doux comme celui d'une plage méditerranéenne, les moustiques s'annoncèrent, d'abord épars puis en nuages opaques. Ils étaient d'une espèce rare, selon Hamdi, assis à côté de celle qu'il tentait de rassurer.

– Ils sont moins agressifs que les cafards, mais il s'en trouve quelques-uns qui risquent de vous laisser des dépôts fort désagréables, dit-il sur un ton préventif.

– Qu'est-ce à dire ? fit Andréanne en scrutant le visage de son interlocuteur.

– Ce que mon aide de camp essaie de vous expliquer, ajouta Zubdah, une main sur le volant et l'autre à chasser les bestioles, c'est que l'un de ces moustiques sur je ne sais combien de mille vous dépose, avec son dard, une larve sous la peau. Elle se développe et peut devenir inconfortable à la longue.

– Et que faire pour prévenir cette horreur ?

– Rien à faire. D'ailleurs, les chances que ça vous arrive sont minimes.

– Minimes mais réelles, n'est-ce pas ?

Andréanne eut à peine le temps de formuler son appréhension qu'elle sentit le pincement d'une morsure plus intense que les autres à son cou. Elle y alla d'un geste rapide et elle aplatit du revers de la main un moustique noir légèrement plus volumineux que les autres.

– Est-ce là celui qui vous laisse son héritage ? fit-elle, à la fois outrée et dégoûtée à la pensée qu'un germe parasite s'introduise dans son système.

– Difficile de savoir, obtempéra Hamdi en lui prenant la main pour mieux voir. Vous l'avez un peu défiguré.

D'un mouvement du bras vers l'arrière du siège, il retira un voile léger et transparent de son sac à effets personnels. Puis, il lui couvrit la tête jusqu'aux épaules après quoi il en retira un second pour lui-même.

– Cette protection vous sera utile, croyez-moi...

Avec la montée des heures et du soleil, la chaleur alla en s'intensifiant. Les mouches disparurent et les voyageurs furent bientôt aux prises avec l'inconfort grandissant de l'air surchauffé. Les deux Arabes résistaient sans sourciller à cet étouffement graduel qu'Andréanne sentait peser sur elle. Dans l'après-midi, le mercure avait encore grimpé de quelques degrés et elle sentit qu'elle ne pourrait continuer à résister de la sorte.

– J'étouffe, se plaignit-elle à un certain moment.

L'air lui brûlait la gorge et les poumons. Chaque respiration nécessitait un effort qu'elle avait de moins en moins la force de faire. Après une autre heure de suffocation, elle sombra dans un état comateux dans lequel un monde de douceur avait pris la relève de celui de la douleur et de la souffrance. Au centre d'un jardin verdoyant coulait un jet d'eau limpide, en cascade à travers un rocher agrémenté de fleurs aromatisantes. Une senteur de lavande et un soupçon de menthe répandaient leurs effluves le long d'une rangée de séquoias.

Andréanne était allongée confortablement au milieu de ce décor champêtre et regardait rêveusement défiler les nuages sur le bleu de la voûte céleste. Un bruit de moteur d'abord imperceptible, puis de plus en plus audible, toussota en écho dans le lointain. Un deuxième et un troisième accompagnaient le premier dans une sérénade à trois voix. Un avion apparut, suivi de deux autres qui lui tiraient dessus. Le premier, un cargo aérien de type transporteur de troupes, tentait d'effectuer des manœuvres rapides à gauche et à droite mais sans grand succès, en raison de son volume et de sa lourdeur. Les deux autres, plus légers, le talonnaient de près avec des salves qui rataient la cible de justesse. Les trois appareils approchaient et, soudain, l'un fit mouche. Un des moteurs du gros avion prit feu. Une traînée de fumée suivait l'appareil et les deux attaquants continuèrent à pilonner le fuyard en perte d'altitude. Une autre explosion se fit entendre et l'avion touché prit feu. Il tangua dangereusement vers la droite et réussit à reprendre son équilibre. Enfin, il vint s'écraser avec un fracas retentissant à une centaine de mètres d'Andréanne, au centre du jardin. Le mazout se répandit et le feu éclata. L'espace verdoyant fut bientôt la proie des flammes et l'incendie fit rage avec une telle intensité que la Québécoise se sentit à nouveau aux prises avec un étouffement qui lui serrait la gorge et lui brûlait sévèrement l'intérieur.

– Au secours ! criait-elle. Je brûle !

Un militaire qui avait échappé à la catastrophe en sortant de l'avion avant qu'il ne prenne feu s'approcha d'elle et la roula dans le cours d'eau au milieu du jardin. La sensation de revenir à la vie lui apporta une bienfaisante délivrance. Elle ouvrit les yeux et constata que Hamdi était en train de l'asperger d'eau, étendue qu'elle était sur le sable près de la Toyota.

– Que se passe-t-il ? haleta-t-elle en reprenant ses sens.

– Bon, la voilà qui revient, grommela Zubdah.

À St-Gérard-des-Laurentides, la tension avait monté d'un cran dans le camp des sœurs Leclerc. Le conseil de famille tenait ses assises, cette fois chez Marthe qui, selon elle, avait une solution pour retrouver Andréanne en Algérie. Après cinq jours sans nouvelles de la brebis égarée, il fallait agir. S'il était encore temps de la sauver, chaque heure perdue en tergiversations sur les moyens à prendre pour la retrouver pourrait lui être fatale. Milaine et Amanda, tour à tour, appelaient les tantes et attendaient une décision de leur part. On ne pouvait rester ainsi, impuissantes devant ce qui se tramait dans le dos d'un membre de la famille. L'heure était à l'action.

– Je ne vois toujours pas comment on peut tirer notre imprudente sœur de ce faux pas, sur un autre continent, pendant que nous sommes ici à St-Gérard-des-Laurentides, répétait Aline d'une voix impuissante.

– Il existe sûrement un moyen de lancer la police à ses trousses. Une fois qu'elle aura été retrouvée, une agence quelconque pourrait peut-être nous la renvoyer…

– Bien pensé, observa Marthe, que des démarches auprès des autorités avaient renseignée. Car même notre présence en Algérie aurait peu de poids pour lui venir en aide. Sans piste concrète, comment la retrouver dans un pays aussi vaste, advenant qu'elle y soit encore ? On ne saurait aucunement dans quel sens aller. De plus, s'ils sont en fuite, ils vont tout faire pour brouiller les pistes.

– Et que proposes-tu, toi qui en connais plus long que nous ? s'enquit Simone.

– Je me sens aussi limitée et impuissante que vous toutes. Mais il est possible d'avoir recours à des services en place.

– Quels services ?

– J'en ai parlé à notre député et, selon lui, le cas relève de la diplomatie internationale ; peut-être même des deux.

– C'est-à-dire... ? ajouta Simone, qui y perdait son latin.

– Que l'ambassade du Canada en Algérie pourrait s'occuper de l'avis de recherche et envoyer ses agents, de concert avec Interpol et la gendarmerie locale, pour les retrouver.

– Et comment doit-on procéder pour mettre tout ce beau monde en marche ?

– Si l'accord se fait entre nous trois pour aller dans ce sens, nous informerons Milaine de notre décision et elle n'aura qu'à contacter le département fédéral approprié à Ottawa, qui s'occupera de l'affaire.

– Je crois que c'est la démarche qui s'impose, conclut Simone après un instant de réflexion. Qu'en pensez-vous ?

– C'est mon avis également, renchérit Marthe.

– Allons-y dans ce sens, se rallia Aline, malgré sa réticence. Je me charge d'annoncer la nouvelle à Milaine.

Une autre journée à rouler parmi les dunes saharienne et une autre nuit à bivouaquer au clair de lune avaient amené les voyageurs de la Toyota à l'oasis de Sa, un important îlot de verdure. Ce poste avancé du désert coïncidait avec une piste d'est en ouest à l'endroit où elle se rattachait à celle que suivait la Toyota du nord au sud. La piste transversale séparait deux régions importantes du Grand Sahara : le Grand Erg occidental et le Plateau du Tademait.

De nombreux explorateurs ont jadis établi un parallèle entre la mer et le désert. Il est vrai qu'en général la mer, comme le désert, est inhospitalière à la vie humaine et que, à part sur les îles, elle peut difficilement prendre racine. Le désert a, lui aussi, ses îlots de verdure que sont les oasis, des points d'eau où vivent des familles de Bédouins et autres.

Les voyageurs étaient arrivés un peu tôt pour le repas du soir à l'oasis de Sa, mais tous avaient accueilli avec soulagement la décision de Zubdah que la journée de voiturage s'arrête là. À cet endroit verdoyant comme à bien d'autres, les pèlerins du désert bivouaquaient à la belle étoile. Les averses étant rarissimes en dehors de la saison pluviale, le ciel et le cosmos composaient la seule toiture nécessaire à la période de sommeil. Jusque-là, le problème majeur de ce mode de fonctionnement avait été le froid. Le mercure atteignait parfois une baisse plongeant les campeurs dans l'inconfort d'une température frôlant le point de gel. Après les chaleurs suffocantes du jour, même les habitués de la place avaient parfois maille à partir avec ces écarts incontrôlables. En somme, le désert n'avait de respect que pour les êtres adaptés grâce à leur longue endurance aux extrêmes de ses conditions climatique.

À l'heure mitoyenne où chacun s'offrait un peu de répit, Andréanne reprenait son souffle en songeant qu'elle avait survécu à une autre journée de chaleur intense. Grâce à Hamdi qui faisait couler, sur elle, un peu d'eau aux moments cruciaux, ses poumons avaient tenu le coup lorsque sa gorge en feu refusait de laisser entrer l'air surchauffé pour éviter que s'éteigne la vie en elle. Songer à rebrousser chemin ne lui était plus possible. Elle n'avait plus la force d'y penser, d'ailleurs. Muktar tentait de la rassurer lors des haltes, mais sa propre certitude commençait à vaciller. Tiendrait-elle le coup ? Il le fallait à tout prix. Pendant que les préparatifs de la nuit tombaient en place, il s'étendit près d'elle et tenta de lui insuffler un peu de courage.

– Il fait bon de retrouver ma chérie à son meilleur, lui murmura t-il en caressant son front encore fiévreux.

– Muktar, mon ami bien-aimé, il faut que tu saches que si je laisse ma vie dans cet enfer de feu et de glace, mon esprit s'envolera avec cette pensée que tu es celui que j'aime le plus ; qu'avant de perdre la vie, c'est avec toi que je l'avais retrouvée. Grâce à toi, mes souffrances sont bien douces. Je quitterai ce désert sur les ailes d'un bonheur qu'avec toi seul il m'a été donné de partager.

– Voyons, Andréanne, cette joie de vivre ensemble ne fait que commencer. Il faut tenir le coup. Et tu le tiendras, crois-moi ! Le tiers du périple est déjà derrière nous. Allons-y une journée à la fois.

– Et une nuit à la fois aussi !

– Oui, quelques heures seulement, ce sera mieux. Et souviens-toi de ce qui nous attend à Abidjan, en Côte d'Ivoire. Je connais des gens là-bas. On aura un peu d'aide, tu verras. L'important, c'est de concentrer toute notre attention sur le but droit devant. Nous réaliserons cet enregistrement musical ensemble. Tu chanteras avec moi sur ce C.D.; et nous continuerons de vivre notre bonheur d'être ensemble l'un pour l'autre, n'est-ce pas ?

Dans l'air serein et calme de cette soirée saharienne, le bruit d'un moteur retentit soudain au loin en direction est, sur la piste transversale dont l'oasis de Sba constituait le point de jonction. Un nuage de poussière, derrière un véhicule, esquissait une tache sombre sur un ciel strié par les dentelures dorées, d'un soleil voilé, derrière la ligne horizontale. Après un moment, un camion Landrover vint s'immobiliser à quelques mètres de la Toyota. Les passagers en descendirent et commencèrent à s'installer pour la nuit. Zubdah alla à leur rencontre et s'entretint un moment avec le conducteur de la nouvelle voiture. Il reconnut en lui un collègue, transporteur transsaharien.

– Tu prends la direction nord ou sud ? s'informa-t-il.

—- Vers l'Afrique noire, à la frontière du Mali.

– Tout va bien jusqu'ici ?

— À part une crevaison tout s'est bien passé. Et toi ?

J'ai un problème de taille, de poursuivre Zubdah, devenu pensif. Une Blanche du Canada s'est jointe au groupe. J'ai commis l'erreur de l'accepter comme passagère. Il restait deux places et ils étaient deux. Deux inséparables.

– Je vois. Quel risque ! A-t-elle des chances de s'en tirer ?

– Pas tellement. J'ai l'impression qu'ils sont en fuite. Alors tu vois, elle était condamnée à l'avance. Si ça s'arrête là, j'aurai eu deux pertes sur ce voyage.

– Son compagnon donne-t-il aussi des signes de ralentissement ?

– Non, mais un autre passager a eu un accident. Il est tombé d'une falaise et on l'a enterré à cet endroit des Atlas.

– J'en ai laissé moi-même plusieurs sous le sable du désert. On ne peut tout de même pas les réchapper tous, d'observer un Sébat, à l'allure sévère, conducteur de la Landrover.

Ce dernier, un trapu aux yeux bagarreurs, semblait taillé pour les situations difficiles. Les cheveux frisés d'un noir d'ébène avec un visage décoré d'une épaisse moustache lui donnaient l'air d'un larron sorti des Mille et Une Nuits. Chaussé de solides sandales à lanières, comme en ont ceux du désert, il portait un pantalon bouffant d'un bleu maghrébin retenu à la taille par un large ceinturon gris en toile de jute tressée. Lui et Zubdah faisaient la paire et à leur ressemblance, un étranger les eut confondus pour des jumeaux.

– Eh bien, vieux camarade de route, fit Sébat sur un ton magnanime, nous ferons bien, comme jadis, le reste du trajet ensemble.

– À la grâce d'Allah, puisque nos routes se croisent à nouveau. On se suivra de près. L'entraide n'est pas un luxe sur cette mer de sable.

Cette quatrième nuit depuis le départ d'Alger avait été longue et froide. Muktar avait en vain tenté de fournir chaleur et quiétude à sa protégée. Elle avait assez peu dormi. Encore transie de froid et dans un état d'épuisement avancé, elle avait repris place sur la banquette avant de la Toyota, entre les deux Algériens. La Landrover de Sébat suivait derrière, à une distance suffisante pour ne pas recevoir la poussière soulevée par la voiture en tête. Vers midi, le soleil, à son zénith, tapait sur la surface désertique que rien ne protégeait contre ses puissants rayons. Le sable et l'air surchauffés avaient atteint une température dépassant les cent degrés Farenheit. Les deux transporteurs firent halte et il fut décidé que, pour éviter une surchauffe de la mécanique, l'arrêt durerait trois heures, le temps de laisser passer la vague de chaleur. Les passagers brandirent couvertures et pièces d'étoffe en guise de parasol, à bout de support de fortune, et s'allongèrent le long des camions pour se protéger des ardeurs et des brûlures du soleil.

Andréanne se sentait de plus en plus faible. Muktar lui avait versé un peu du précieux liquide sur le visage et le corps, mais le soulagement apporté n'avait été que de courte durée. Elle sombra bientôt dans un état comateux, et les paroles de Muktar lui arrivaient comme en écho à travers une vallée de plus en plus éloignée. Les propos de ce dernier devinrent ensuite une traînée de sons incohérents dont la résonance rappelait une sérénade que lui chantait autrefois son père pour l'endormir. La sensation d'étouffement se résorba graduellement, et un silence bienfaisant remplaça l'épuisement écrasant où l'avait plongée la chaleur intenable des dernières heures. Elle se sentait flotter sur un lit de plumes, à la surface d'une eau calme et limpide. Une brise printanière laissait sur son front une douceur rafraîchissante. Il n'en tenait plus qu'à elle de se laisser aller dans les profondeurs de l'onde, qui semblaient l'inviter par une mélopée mystérieuse. Elle mit fin à toute résistance et se laissa couler vers les abysses sombres et veloutés d'une mer sans fond. Il aurait fallu qu'elle refuse de suivre un maharajah vêtu d'une longue tunique ornée de petits diamants et d'émeraudes, par simple mesure de prudence, mais tout allait de soi dans ce monde truffé d'automatismes à la chaîne.

Andréanne fut introduite dans un palais somptueux dont les tapis, au loin, se déroulaient d'eux-mêmes et venaient à sa rencontre. L'un d'eux transportait sur ses ailes un trône serti d'or et de pierres précieuses sur lequel prenait place une reine coiffée d'une couronne majestueuse. À l'approche de la nouvelle venue dans ce château, la monarque se leva avec grâce et noblesse, et enleva courtoisement sa couronne pour la déposer avec déférence sur le chef d'Andréanne en l'invitant, d'un geste posé, à prendre place sur le trône royal.

Il n'en aurait pas fallu plus à une princesse en quête de gloire pour accepter une invitation aussi bien orchestrée. Mais Andréanne resta stoïquement sur son quant-à-soi, refusant d'un geste magnanime l'offre doucereuse qu'on lui présentait sur un plateau d'argent.

– Je ne suis dans ces lieux enchanteurs que de passage, opposa-t-elle à la reine et à sa suite, sur un ton respectueux. On ne peut retenir indûment les attentes de sujets inconnus par des offres inopérantes concédées à une étrangère en manque de détente.

À ces mots, le château se désagrégea en petits morceaux qui se métamorphosèrent en un immense ballon bleu et rouge. Devant une Andréanne au comble de la surprise s'étendait une piste conduisant tout droit à une porte sur le côté du bolide en suspens entre ciel et terre. Elle s'y aventura et découvrit, de l'autre côté de l'entrée, un univers comme elle n'en avait jamais vu auparavant. Il fallait réagir au plus tôt car tout, dans ce monde incongru, se disputait une part de son attention. L'étrangeté du sentiment que suscitaient en elle les milliers d'êtres venus à sa rencontre, bouleversait pour ainsi dire le fondement même de sa constitution émotive. Quelque chose devait être dit ou fait pour remettre un peu d'ordre dans ce branle-bas chaotique.

Soudain, un être d'une luminosité intense lui tendit la main en la rassurant avec douceur et avec la promesse qu'on veillerait à ce qu'elle soit introduite auprès du gouverneur de ces espaces en voie de reconstitution. Elle entendit ensuite une clameur vers l'arrière et se retourna pour constater qu'un pan de mur à l'intérieur du ballon était en train de s'effondrer sur une foule de lutins pris de panique et courant en tous sens. Votre univers intérieur ne tiendra pas le coup, tonitruait une voix rauque sur un haut-parleur invisible. Au même moment, une procession de pèlerins de blanc vêtus défilait à la suite d'un étendard sur lequel était inscrit en lettres de feu le mot LUBRICUM.

Andréanne s'arrêta, perplexe, devant l'un des porte-étendards et s'enquit de la signification de cette inscription.

– Vous recevrez la clef de cette énigme à la fin de votre périple, se borna à lui révéler le type aux souliers de satin. Puis, tout retomba dans un calme amorphe où elle se retrouva en état de flottaison dans un espace silencieux. La notion même du temps ne fit plus qu'un avec ce vide sans fin.

– Je crois qu'elle a cessé de respirer, observa Messad d'une voix éteinte, l'oreille penchée sur les lèvres de la convalescente. Celle-ci, étendue à l'arrière, sur la plate-forme de la Toyota, était secouée de toutes parts comme les autres passagers assis ou debout près d'elle pendant que la voiture contournait les dunes de sable du Sahara, à mi-chemin vers la frontière du Mali. Le Camerounais et ami de Muktar se releva et laissa la place à ce dernier, qui se pencha à son tour et regarda d'un air triste celle qu'il avait juré de protéger et d'amener à bon port. Il lui prit tendrement la main et la serra sur sa poitrine.

– Ma princesse bien-aimée, lui murmura-t-il, s'il te reste un souffle de vie, reviens-nous. Ne laisse pas ceux que tu aimes dans ce vide où nous plonge ton absence. Par tout ce qui existe de plus sacré dans cette contrée de misère, reste encore quelque temps avec nous. Je t'en prie, Andréanne, reviens !...

– Allons, camarade, le consola Messad, on a fait tout ce qu'on pouvait pour elle. La vie doit continuer pour nous. Ne te laisse pas emporter par le malheur. Tu as besoin de tes forces pour affronter ce qui reste à venir.

Soudain, Muktar sentit dans sa main une pression qui n'était pas la sienne. Était-ce une simple impression ? Pourtant, il aurait juré que la main qu'il tenait avait bougé. Oui, quelque chose dans sa main... Un doigt, peut-être ? Reprenant espoir, il se concentra et s'adressa à elle silencieusement, à son âme cette fois.

– Andréanne, supplia-t-il en secret, je sais que tu es encore là ; j'en ai l'assurance à présent. Je ne te laisserai pas aller. Nous sommes liés pour toujours, toi et moi. Continue à te reposer pendant que je veille sur toi.

Il lui toucha le front, qu'elle avait encore chaud. Depuis plus de deux jours, la fièvre la tenait sous son emprise.

– Elle vit encore, annonça le Camerounais souriant aux passagers à l'arrière, qui s'étaient rapprochés et le regardaient d'un air inquisiteur.

– Elle n'a pas l'air très forte, remarqua Ourmih d'un air lugubre.

– Je te défends d'avoir pour elle des pensées de ce genre, s'indigna Muktar. Allons, vous tous. Unissons nos forces pour la ramener et la maintenir sur pied.

Tous baissèrent la tête en signe d'acquiescement, sauf Saïd, qui soutint le regard du Camerounais en guise de défi. Muktar faillit lui sauter au visage mais se retint, estimant le moment mal venu. Chacun se détournait pour laisser le Camerounais au chevet de sa protégée, l'occupation principale des passagers étant de regarder défiler les dunes du désert à la vitesse de la Toyota et de la Landrover loin derrière.

Andréanne fit un léger mouvement pendant que Muktar lui versait quelques gouttes d'eau sur le front. La consigne la plus sévère pour tous les voyageurs transitant ces terres arides voulait que pas un millilitre d'eau ne soit perdu ou gaspillé. Outre les bidons et carafons d'eau alloués à chacun, des citernes en peau de chameau, avec le poil à l'intérieur, remplies d'eau et accrochées de chaque côté du camion, servaient de réserves au cas où le précieux liquide viendrait à faire défaut. Mais la consigne était formelle : l'eau ne pouvait servir qu'à se désaltérer. Le regard sévère de Saïd était sans appel et condamnait le geste du Camerounais. Ce dernier préféra ignorer le reproche et humecta le cou et les épaules de la moribonde. Le teint de celle-ci passa du blanc cireux au rosé. Muktar s'en rendit compte et ses yeux s'illuminèrent. Tous les espoirs étaient permis. Les passagers s'approchèrent pour partager la bonne nouvelle. Chacun y alla d'un commentaire joyeux et d'encouragements qui eurent bientôt raison de ce qui, jusque-là, avait semblé un mal fatal.

Le camion fit halte pour un plein d'essence dont s'occupa Hamdi, au moyen d'une pompe manuelle qu'il activait derrière le véhicule. Le mazout passait par un boyau, de la réserve en vrac, dans la boîte du camion, à la cuve d'alimentation sous le plancher. Andréanne ayant repris suffisamment d'énergie, on l'adossa à la paroi de la boîte arrière, en position assise.

– Où sommes-nous ? balbutia-t-elle, le regard perdu parmi les dunes à perte de vue.

– Enfin, te voilà revenue, ma douce Andréanne. On a bien failli te perdre, lui sourit Muktar de toute la blancheur de sa dentition. Comment es-tu ?

– Faible et en feu. J'ai très soif !

Djuma et Ahmed ouvrirent simultanément leur gourde et avancèrent le bras. Elle n'eut pas la force de se servir et l'un d'eux lui en donna quelques lampées qu'elle avala goulûment.

– Je crois que maintenant, tout va bien aller, se persuada Muktar en invitant la convalescente à s'étendre à nouveau avant que le camion ne reprenne le sentier.

La Landrover s'était arrêtée à proximité, et eux aussi en avaient profité pour refaire le plein. Parmi les passagers de cette voiture, se trouvait un Tunisien qui avait œuvré dans un dispensaire sous la gouverne d'un médecin de Vision Mondiale. Ses connaissances en soins de santé, quoique rudimentaires, faisaient de lui un atout précieux dans des situations comme celle-là. Il s'approcha de la Toyota, informé par Sébat qu'une Blanche au nombre de ces voyageurs se trouvait mal en point. Il lui prit le pouls et l'observa un moment.

– Elle souffre de malaria, fit-il après réflexion. J'ai ici quelques comprimés qui l'aideront à passer les pires moments. Mais attention, pas plus d'un par jour. Vous avez de quoi payer ?

– Euh… oui, certainement, acquiesça Muktar en plongeant la main au fond de sa poche.

Deux autres journées s'étaient envolées dans les dunes surchauffées, sur la piste saharienne, lorsque les deux transporteurs du désert firent halte dans la plaine du Tidikelt. Le sable de cette région était plus fin et les dunes ressemblaient à de véritables collines. On eut dit aussi d'énormes houles d'un jaune doré, comme si le vent, en les sculptant, y avait laissé toute sa force d'exécution et le soleil toute la couleur de son abondante chaleur.

Andréanne, encore faible et secouée par une autre journée sur une piste cahoteuse, se mirait rêveusement dans ce paysage féerique. Une oasis minuscule offrait parcimonieusement l'ombrage de ses rares palmiers au besoin pressant qu'avait la convalescente d'un souffle de fraîcheur sur son front bouillant de fièvre. Sur la couche sablonneuse qui lui servait de grabat, vint se pencher un Muktar également épuisé par la souffrance de sa moribonde bien-aimée. Il lui tardait à lui aussi de retrouver ces calmes moments transitoires entre les écarts de température, de se refaire des forces pour reprendre le combat auprès de sa protégée.

Lorsqu'enfin la chaleur sembla quelque peu desserrer les dents, Andréanne sortit lentement de sa léthargie. Son esprit semblait revenir d'un autre monde, un monde où n'entraient que ceux à qui une intolérable douleur enlevait l'usage des sens. Le soulagement se traduisit par une ébauche de sourire sur les lèvres du Camerounais. À nouveau, il sentit la vie couler dans ses veines. Sa joie alla en s'intensifiant et, après un moment, il éprouva un tel bonheur que les mots lui manquèrent pour exprimer ce qu'il aurait voulu communiquer à sa compagne. Dans le regard limpide de celle-ci, une lueur de tendresse éclata, telle une odorante gerbe de roses dont les pétales duvetés lui parlaient des mille facettes d'un amour comme il n'en avait jamais cru l'existence possible.

– Moi aussi je t'aime, murmura-t-il, perdu dans ce regard délicieux dont une ombre venait d'obscurcir momentanément l'éclat.

– Dis-moi, Muktar...

– Oui, adorable chérie !

– Si je meurs avant d'atteindre la Côte d'Ivoire ...

– Mais voyons, de quoi parles-tu ? Tu vivras, je te le jure.

– Mais si je meurs, j'aimerais que tu me promettes deux choses.

– Je te promets que tu vivras et que notre bonheur n'aura pas de fin.

– Que j'aimerais te donner raison, mais je n'ai plus la force d'espérer, fit-elle faiblement.

Il allait la rassurer par un bouillonnement de paroles dont ses émotions allaient provoquer l'éclatement, mais il se retint un moment, conscient que le calme lui ouvrirait ses écluses pour un influx d'énergie dont elle avait un besoin vital.

– Si je te quitte avant de revoir mon pays, que je regrette maintenant d'avoir quitté, je veux que tu m'enterres dans le sable du désert et que tu graves mon nom sur une croix, au-dessus.

Il allait répondre, mais elle poursuivit :

– Envoie ensuite, par courriel, de la prochaine ville, un message à mes filles et à mes sœurs pour leur dire que je les aime et que je continuerai à les aimer toujours.

– Je comprends, reprit Muktar, la mort dans l'âme.

Puis, après un long moment de silence, il ajouta :

– Quelle raison me reste-t-il de continuer si tu n'es plus là, ma douce et tendre amie ? Avec toi, j'ai trouvé le bonheur. Sans toi, je perds ma raison de vivre. Je t'en conjure, Andréanne ! Encore quelques jours et nous aurons rejoint le Mali. De là, la Côte d'Ivoire et les soins qu'il te faut feront de ces moments funestes un cauchemar d'une autre époque.

– Inch Allah, mon bien-aimé. Mais où trouverai-je la force de lutter ? Il faudra bien un miracle. Et dans ce désert infernal, si les miracles sont aussi rares que la pluie, c'est à autre chose qu'il faudra se préparer ...

– Allons, allons, tu as tenu le coup jusque-là. Tu le tiendras encore, j'en suis sûr.

– À la seule pensée du froid nocturne qui approche, je suis glacée d'appréhension.

– Ça me rappelle une nouvelle qui va te réchauffer le cœur, fit-il en songeant au dialogue qu'il avait eu avec un voyageur de la Landrover.

– Une couverture chauffante nous est tombée du ciel, devina-t-elle péniblement dans un effort pour l'encourager à son tour.

– Ah, voilà que je retrouve mon Andréanne des beaux jours. Tu es presque dans le mille. Fumu, celui qui t'a sauvé la vie avec ses médicaments contre la malaria, m'a offert une djellaba pour toi.

– Une quoi ?

– Il s'agit d'une tunique de laine. Tu y seras au chaud toute la nuit. Et le jour, c'est une protection assurée contre les rayons du soleil.

– L'isolement contre les extrêmes, à ce que je vois.

– L'isole-tout, voilà !

– Dommage qu'elle ne soit pas plus ample, remarqua-t-elle pendant que Muktar dépliait la précieuse tunique. On pourrait s'y blottir à deux.

– Une tunique familiale alors ; quelque chose d'unique, quoi.

– Un fourre-tout arabe à commercialiser sur les comptoirs d'Amérique.

– L'esprit familial n'en est pas encore là, c'est évident.

Les deux éclatèrent d'un rire libérateur. La journée avait été longue et, cette fois, passer la nuit sous une bonne étoile semblait annoncer le juste retour des joies d'avant.

Ambassade canadienne à Alger saisie de l'affaire Andréanne Leclerc ... Interpol informé de la recherche... Force policière algérienne sur un pied d'alerte ... Pas de nouvelles de la Québécoise.

Le télex de Milaine à Lévis, près de la ville de Québec, avait reçu ce message pendant la nuit. La feuille, et le texte, attendaient sur le plateau de réception alors qu'elle se dirigeait vers la cuisine pour préparer le petit déjeuner. Elle passa à côté sans l'apercevoir. Le jeune Mathieu vint la rejoindre, suivi de près par Charles, qui tenait une feuille à la main.

– Regarde ce qu'on a reçu, chérie, fit-il en brandissant le message d'un air surpris. Je crois qu'on parle de ta mère. Ils disent qu'ils n'ont rien à dire sur elle.

Elle se retourna vivement vers son mari.

– Donne-moi ça que je voie, lui envoya-t-elle en oubliant les œufs dans la poêle.

– Voici un plat de résistance pour toi et tes tantes de St-Gérard-des-Laurentides, s'exclama Charles en laissant tomber la feuille de télex dans l'assiette encore vide de son épouse.

– Ah, mes tantes ! Elles vont être mortes d'inquiétude. Elles ont bien raison de s'en faire, dans le fond. Moi, je me demande encore ce qui lui a pris, à ma mère, de s'en être allée rencontrer un parfait inconnu comme ça, à l'autre bout de la planète en plus, d'observer Milaine en déposant les œufs cuits sur la table.

– Son choix n'est pas tombé sur le pays le plus sécuritaire pour aller se balader, laisse-moi te dire.

– Bien c'est ça... Et qu'est-ce qu'on peut faire pour elle à une distance pareille ? Cherche donc, qu'est-ce qui nous dit qu'elle n'a pas pris la voie du désert pour échapper à ses débiteurs ? Son Camerounais était venu par là pour l'attendre à Alger.

– Moi, je dis qu'ils ont pris un bateau sur la Méditerranée pour traverser en France. Tu te souviens qu'elle parlait d'aller avec lui à Paris pour une production musicale ?

– Oui, tu as peut-être raison !

– Et ça se traverse assez rapidement, la Méditerranée. Ils nous auraient envoyé un message de l'Italie ou de l'Espagne.

– Ou même de la France.

– À moins qu'ils aient cherché refuge dans un pays voisin de l'Algérie, reprit Milaine, tenant un café d'une main et feuilletant de l'autre le gros atlas mondial sur le buffet. Ah, tiens, voilà l'Algérie.

– Maman, c'est quoi l'Algérie ? s'exclama le petit Mathieu.

– Ah, ça, mon chou, c'est un pays sur le continent nord-africain. Viens voir. Ici, en haut de la carte. Tu vois ? C'est ça, l'Algérie. Un pays arabe.

– Et ça veut dire quoi, arabe ?

– C'est un peuple, ou plutôt une race. Les gens de la même provenance ancestrale et souvent territoriale forment une race. Mais d'autres facteurs interviennent dans tout cela. Par exemple, toi et moi on se dit Québécois. Nous vivons sur un territoire de la planète Terre qui s'appelle le Québec. La majorité des Québécois ont le sentiment de former un peuple. Comme on est un peuple encore jeune, on ne peut encore parler de race. C'est une question de milliers d'années. La grande majorité des Québécois sont de descendance française. C'est notre race. Il y a également dans le monde les Anglais, les Chinois, les Arabes et bien d'autres.

– Et moi, de poursuivre Mathieu avec la candeur de ses quatre ans, est-ce que je pourrais être Arabe ?

Le couple se regarda en souriant et Charles répondit :

– Tu aurais pu l'être si tu était né de parents arabes. Mais comme ta mère et moi sommes Québécois, tu es Québécois et tu ne peux rien y changer.

– Et si j'allais retrouver grand-maman en Algérie... ?

– Je comprends que tu t'ennuies d'elle, fit Milaine d'un air maternel, mais il faudrait savoir où elle est en Algérie, si elle y est encore... Par contre, supposons que grand-maman demeure en Algérie et que ça devienne possible d'aller la rejoindre. Dans ce cas, on serait des touristes québécois en visite en Algérie.

– On ne peut pas devenir des Arabes ?

– Si on demeure là plusieurs années, il serait possible de devenir citoyens algériens, j'imagine. Quand on demeure assez longtemps dans un nouveau pays, on peut faire partie du peuple qui s'y trouve officiellement mais encore là, il peut y avoir plus d'un peuple et ça devient compliqué. On a donc recours à la notion de citoyen d'un pays. Mais qui dit Arabe dit race. Et ça, c'est fixé à ta naissance. Si un jour tu épousais une femme arabe, tes enfants seraient moitié Arabes. C'est la seule façon de modifier les éléments de la race. Alors tu vois, avec le temps tout change, même les races.

– Mais pourquoi voudrais-tu devenir Arabe ? s'informa Charles en mettant son veston pour aller au travail.

– Pour vivre en Algérie et parce que si grand-maman a choisi d'aller là, ce doit être un beau pays !

– Tu sais, Mathieu, confia Charles à son fils en le prenant dans ses bras avant de partir, les pays sont comme les êtres humains : chacun a des charmes et quelque chose de spécial à offrir aux autres. Sans doute qu'un jour tu auras la chance de connaître ce pays.

– Et de revoir grand-maman ?

– Espérons-le !

À une journée de route des frontières du Mali, les deux transporteurs du désert roulaient dans la zone du Sahara connue sous le nom de Tanezrouft. Grâce à sa connaissance de la région, Zubdah repéra une minuscule source d'eau potable que bien peu de transporteurs connaissaient. Le soleil, à son zénith, tapait franc sur les voyageurs derrière les camions, et la halte fut accueillie avec un soulagement général.

Andréanne, allongée derrière la Toyota, reposait dans un état de semi-conscience, terrassée à nouveau par la fièvre de la malaria et la chaleur intense à cette heure du jour. Muktar laissa les autres s'abreuver à la source dont un mince filet coulait avec peine entre deux phalanges rocailleuses presque complètement enfouies sous les dunes du désert. De loin, rien ne distinguait cet endroit de plaine sablonneuse du décor naturel. Il est vrai qu'une fois sur place, on pouvait y voir quelques touffes d'herbe mais, à part cette maigre verdure, rien, pas un palmier, n'avait pris racine sur ce sol, car l'humidité fournie par la source d'eau était aussitôt absorbée par la chaleur ambiante.

Les voyageurs mirent une heure à se désaltérer tous, l'eau étant à ce point rare que le filet du précieux liquide n'était recueilli qu'au prix d'une infinie patience. Pendant que la troupe faisait la sieste à l'ombre, sous les camions, Muktar aspergea la convalescente de l'eau fraîche sortie tout droit des entrailles du désert. Un regain de vie anima son visage l'espace d'un moment. Comme elle n'avait pas la force de se nourrir le jour, son estomac arrivait mal à digérer les figues et amandes qu'elle absorbait en quantité infime à la tombée de la nuit. Aussi avait-elle perdu du poids de façon alarmante.

Il la regarda tristement, la gorge nouée. Il fallait qu'elle tienne le coup, pensait-il. Le Mali n'était pas loin et, dans un village frontalier, sans doute trouverait-on l'aide médicale requise pour la remettre sur pied. Puis, il songea à lui donner un des comprimés que lui avait remis l'infirmier de la Landrover.

– Est-ce que tu m'entends, ma belle princesse ? fit-il en approchant la gourde de ses lèvres.

Elle ouvrit les yeux et le contempla un moment. Un léger sourire acheva d'embellir son visage calme et serein. Un rayonnement de confiance avait remplacé les traits crispés par la souffrance. Elle avala le comprimé et fit un effort pour se redresser en prenant la gourde de son compagnon. Puis, elle réitéra le souhait qu'elle avait formulé quelques jours plus tôt.

– Tu me promets de m'enterrer sous le sable lorsque mon souffle se sera envolé, Muktar ? Promets-le !

Il la serra dans ses bras et la regarda longuement. Dans un élan de compassion profonde, il l'enlaça à nouveau et l'embrassa amoureusement.

– Chérie, nous sommes ensemble pour aller jusqu'au bout, toi et moi.

Après un autre moment de réflexion, elle soupira et son front s'assombrit à nouveau.

– Si tu ne trouves pas de bois pour dresser une croix sur ma fosse, tu pourrais chercher quelques pierres pour la remplacer et graver mon nom sur l'une d'elles.

Un léger déplacement d'air se fit sentir, comme si un animal était passé près du camion. Avant de répondre, Muktar jeta un coup d'œil circulaire et crut apercevoir une tache sombre à l'horizon. Puis, l'air remua à nouveau, ce qui était rarissime dans cette région du Sahara où la chaleur du jour tenait l'air ambiant dans un état de calme perpétuel. La tache au loin prenait de l'ampleur. Soudain, le Camerounais perplexe passa de la surprise à la stupeur.

– Alerte, cria-t-il en courant vers le camion voisin. On a une tempête sur le dos.

Sébat, le conducteur de la Landrover, avait l'habitude du désert. Le Sahara lui avait livré la plupart de ses secrets et n'avait pratiquement plus de surprises pour ce nomade des grands espaces. Aussi se mit-il rapidement à la tâche de rassembler ses hommes et de distribuer les responsabilités. L'air était encore relativement calme mais porteur d'un péril imminent. Le firmament, vers l'Orient, apportait, dans le creuset de son espace, une traînée de gris sombre aux proportions grandissantes.

Les premières bourrasques de vent ne tardèrent pas à annoncer le danger qui approchait. La moitié du ciel n'était désormais plus visible, voilé qu'il était par un opaque mur de sable, tourbillonnant pêle-mêle sous le souffle rageur d'une tempête incontournable. Zubdah avait eu le temps de venir placer la Toyota tout près du camion voisin, de façon à fournir une plus grande surface d'abri à tous.

– Dépêchons, intima Muktar à Andréanne, en l'aidant à ramper sous le véhicule pendant que Hamdi, Djuma et Ahmed accrochaient des pans de toile le long des ouvertures.

La tornade frappa de plein fouet. L'obscurité se fit complète et le sable en mouvement s'abattit sur l'abri des voyageurs, blottis les uns contre les autres pour mieux se protéger. Les Arabes avaient défait leur turban pour se recouvrir la tête et le visage. Andréanne avait toujours son manteau de cuirette apporté de St-Gérard-des-Laurentides et sauvegardé dans sa fugue d'Alger. Il lui tenait lieu de turban en ce moment critique où des tonnes de fins cristaux de silice avaient libre cours entre ciel et terre. Le vent émettait un vacarme du tonnerre pendant que, sous les camions et à l'intérieur, sur les banquettes avant où s'étaient réfugiés quelques-uns des passagers, même avec les vitres bien closes, une fine poussière réussissait à s'infiltrer. Une mince couche de sable se forma bientôt dans les moindres interstices de la Toyota et de la Landrover.

L'après-midi durant, le vent déferla et la tempête fit rage. Il était donc impossible de pousser une reconnaissance à l'extérieur. Chacun se tenait coi, tous étaient entassés sous les camions où la chaleur avait cependant diminué de quelques degrés. Était-ce dû à la poussée éolienne ou à l'écran de sable en mouvement masquant la lumière et la chaleur ?

À l'heure où la vraie nuit s'apprêtait à recouvrir le désert de son voile, le vent et les rafales de sable n'avaient pas encore donné signe de ralentissement. L'heure du repas était passée depuis un bon moment, et Muktar constata qu'il avait laissé les victuailles sur la plate-forme du camion. Pourvu que le vent n'ait pas tout emporté, confia-t-il à Andréanne qui, elle aussi, se sentait un creux à l'estomac. Il rampa par-dessus deux de ses compagnons et chercha à se frayer un passage au-delà de la toile qui les isolait de l'extérieur. À son étonnement, il se heurta à un mur de sable impossible à franchir. Dans l'obscurité ambiante, il fit demi-tour et revint auprès d'Andréanne.

– Nous sommes prisonniers, lui confia-t-il. Le sable s'est chargé de nous ensevelir. Comment sortir d'ici ? gémit-il.

Le vent avait diminué et l'isolement était si complet que chacun s'inquiéta de ce qu'on ne parviendrait peut-être jamais à sortir de sous cet ensevelissement.

– Imaginez deux mètres de sable au-dessus des camions, hasarda le Tunisien.

– Si tel était le cas, rétorqua prudemment Ourmih, le jeune Ivoirien de vingt-huit ans, l'air ferait défaut et on serait en train d'étouffer.

– Et l'on n'entendrait plus la tourmente à l'intérieur. Ou suis-je le seul à l'entendre ? fit Djuma sur une note plus joyeuse.

Muktar s'approcha du côté d'où venait le sifflement pour constater qu'un passage étroit servait encore d'issue. Il écarta le pan de toile et se hissa, le long d'une roue, sur une dune qui n'était pas là au moment où la tempête avait éclaté.

– Diantre, s'exclama-t-il en reprenant son souffle. Quelle veine ! Il est encore temps de s'en sortir.

Mais alors qu'il émergeait à peine de son refuge au grand air, une violente bourrasque lui arracha le bout de tissu qui lui tenait lieu de couvre-chef. Il avait à peine eu le temps de le retenir par le bout et de se couvrir à nouveau le visage que le fouettement du sable avait commencé à l'écorcher comme une gifle violente.

La fureur du vent charriait des tonnes de sable, et le pauvre type qui se serait aventuré à quelques pas seulement du camion aurait eu une chance inouïe de s'en tirer sans se faire emporter. Devant cette force sauvage de la nature, le courage du Camerounais recula. Il supputa ses chances de monter dans la boîte arrière du camion et descendit momentanément au creux de la dune d'où il était venu pour s'accorder un moment de réflexion.

– Il nous faut ce sac d'aliments, pensa-t-il en rassemblant ses forces.

Ancré fermement au rebord du véhicule, l'Africain se hissa laborieusement sur la plate-forme qu'un tas de sable recouvrait presque entièrement. Pendant que les éléments lui lacéraient le dos sans ménagement, il s'absorba à creuser de ses mains à l'endroit où un filet retenait les effets des voyageurs. La chance lui sourit et il retrouva sans trop de peine les précieuses denrées. De plus, au moment de revenir, une accalmie s'était produite. Il en fit part à ses compagnons. L'un d'eux suggéra qu'on aille chercher une pelle derrière le siège de la Toyota pour élargir et entretenir l'ouverture vers l'extérieur pendant la nuit. Il suffirait d'y aller à tour de rôle pour empêcher le passage de s'obstruer.

– Pas la peine de chercher une pelle à l'extérieur, suggéra une voix sous la Landrover. Je crois qu'on en a une d'accrochée ici, en dessous. Tiens, voilà ! Je l'ai trouvée, ajouta-t-il après un moment de tâtonnement dans l'obscurité.

La tempête du désert avait duré une journée et deux nuits. Au matin de la deuxième nuit, les réfugiés dans la carlingue de la Toyota constatèrent une diminution dans la force des tourbillons de sable. Une faible lueur perça faiblement la tourmente au lever du jour puis se fit plus intense à mesure que le vent perdait de son intensité. Une heure plus tard, à peine quelques rafales ici et là traînaient encore sur le faîte des dunes.

– Je crois que c'est fini, observa Zubdah en levant sa gourde pour y avaler les dernière gouttes de sa réserve en eau potable.

Il fit le geste d'ouvrir sa porte, mais elle était coincée par un épais banc de sable qui arrivait jusqu'à la fenêtre. Il voulut l'ouvrir, mais les grains de sable s'étaient glissés à l'intérieur du mécanisme et la fenêtre refusait d'obéir. Hamdi essaya à son tour d'ouvrir de son côté sans beaucoup d'espoir, car le sable à cet endroit montait jusqu'à la mi-fenêtre. Après quelques essais infructueux, la vitre sembla bouger et, finalement, le mécanisme se dégagea. Il fut bientôt possible de ramper par l'ouverture jusqu'à l'extérieur, où le calme était revenu.

– Y a-t-il quelqu'un là-dessous ? cria-t-il en apercevant le puits le long du véhicule. La tempête est terminée.

Une tête émergea, puis une autre. Grâce à la prévoyance du jeune Tunisien et à son idée d'entretenir une bouche d'aération, les voyageurs n'avaient pas été enterrés vivants sous les décombres.

La situation n'était pas des plus reluisante. Si la Toyota émergeait du sol jusqu'à la moitié de la portière du côté opposé au vent, par contre, la Landrover, de l'autre côté, n'était pratiquement plus visible. À peine distinguait-on le dessus de sa carlingue.

– Vite, il faut dégager la porte du côté du chauffeur, commanda Zubda d'un geste décisif.

Saïd s'avança avec la pelle et creusa jusqu'à essoufflement. Messad prit ensuite la relève pendant que certains poussaient le sable accumulé avec leurs mains, pour éviter qu'il ne retombe dans le puits en voie d'agrandissement. Il fut bientôt possible d'ouvrir la portière par où s'échappèrent trois occupants soulagés. L'immobilité forcée au cours des dernières heures faisait que chacun recouvrait avec peine l'usage de ses membres, devenus raides.

– Par Allah, s'exclama Sébat, le chauffeur de la Landrover, nous avons bien cru notre dernière heure arrivée.

Ses deux compagnons avaient les yeux hagards et la mine abattue. La peur et le désespoir n'avaient pas tout à fait quitté leur visage, semblable à ceux de ces prisonniers d'une mine où a sévi un grisou, lorsque, après un séjour au pays des condamnés, on les remonte in extremis à la surface.

– Cette dernière heure nous attend tous dans peu de temps, si nous n'arrivons pas à dégager les véhicules de toute cette merde, signala Zumda aux deux groupes de passagers. D'abord, est-ce que tout le monde est là ?

Ahmed dénombra la troupe des rescapés et force lui fut de constater qu'un passager manquait à l'appel. On refit le compte dans chacun des deux camps. Celui de la Landrover y était au complet, mais non celui de la Toyota. En effet, des dix passagers à bord à l'entrée du désert, on n'en comptait plus que huit. Atha avait péri en basculant en bas d'une corniche dans les Atlas, mais un autre manquait à l'appel. Lequel ?

– Mais où est donc Messad ? s'enquit Muktar en scrutant à nouveau le groupe. Messad, cria-t-il, où es-tu ?

Le silence du désert, et rien d'autre, répondit au Camerounais dont une légitime inquiétude retenait le souffle. Il descendit sous les camions, espérant y retrouver son compatriote, mais ce fut peine perdue.

– Se serait-il perdu dans la tourmente ? suggéra-t-il aux les membres de l'expédition.

– Si tel était le cas, oberva le jeune Ourmih, il l'aurait fait en allant enlever du sable de la sortie pendant la tempête. Et il serait parti avec la pelle. Or la pelle est toujours revenue et nous l'avons encore.

– Bon sang, il devrait être avec nous alors, conclut Muktar qui n'y comprenait plus rien.

Il fut alors décidé que chacun irait dans une direction différente, dans un rayon d'un kilomètre autour du camp, à la recherche du passager disparu. Il s'agissait entre autres d'avoir l'œil ouvert et de cherhcer un monticule de sable irrégulier où la victime aurait pu s'égarer, périr et être enterrée pendant la tempête. Mais une heure ne s'était pas écoulée que tous étaient revenus bredouilles.

Zubdah donna alors des instructions à chacun pour dégager la Toyota de son ensevelissement. On commença par la plateforme, où deux autres pelles furent retrouvées. Ces outils aidant, il fallut toutefois l'avant-midi au complet pour arriver à faire bouger le premier camion. Même le moteur, sous le capot, avait eu son plein de sable qu'on arriva, non sans peine, à évacuer. Il fallut une heure additionnelle pour parvenir à remettre la mécanique en état de fonctionner. Puis, la Toyota refit lentement surface et l'équipe s'apprêta à procéder au déterrement de la Landrover.

Muktar, qui s'était évertué à pousser le véhicule hors de sa fosse, revint pensif vers le fond et s'arrêta un moment pour examiner les dépressions dans le sable où chacun s'était allongé pendant la tempête. Une idée venait de germer dans ses pensées.

Il compta le nombre de formes humaines incrustées dans le sol et constata que celle du fond avait une forme convexe, contrairement aux autres qui accusaient une légère dépression à chaque endroit. Il creusa avec ses mains sur cette protubérance et ne tarda pas à toucher un objet. Ses craintes s'avérèrent fondées. Il s'agissait d'un corps humain. Il continua à creuser et dégagea le visage de la victime.

En haut, autour de la dépression laissée par le camion, les passagers des deux camps observaient avec curiosité le déroulement de l'opération.

– Messad est ici. Allons, aidez-moi à le remonter à la surface, commanda l'auteur de la macabre découverte.

Le corps fut rapidement hissé hors de la fosse et étendu sur le sable du désert. L'infirmier en herbe s'approcha et constata son absence de vie.

– Décédé par manque d'oxygène, fit-il laconiquement.

Muktar se pencha à nouveau sur son ami et lui souleva la tête. Autour du cou et sur la gorge du défunt se trouvaient des marques. Aurait-il été étranglé ? Et par qui ? Bien qu'il fut difficile d'en avoir la certitude, le doute creusait son chemin dans l'esprit du Camerounais, comme un ver dans le tronc d'une vieille souche.

Il fut ensuite décidé que la dépouille du défunt serait inhumée à l'endroit où il avait été trouvé. Le reste de la journée passa rapidement, tous œuvrant à dégager la Landrover en évacuant le sable par petits tas, et chacun le repoussant un peu plus loin. Ce travail de fourmi achevé, le camion refit surface à son tour. Les deux conducteurs décidèrent de partir avant la tombée de la nuit pour s'éloigner au plus vite de ce lieu sinistre. On pouvait profiter de trois heures au volant, par un climat tempéré. Tous, à l'exception de Muktar, abondèrent dans le sens de cette décision.

Celui-ci sentait le besoin de rendre un dernier hommage à son ami, enfoui sous les décombres de la tempête. Il réunit les siens autour du monticule où se trouvait auparavant un trou béant et, après un moment de silence, il prit la parole :

– À toi, Messad, joyeux compagnon et ami regretté, nous souhaitons un heureux séjour là où tes pas t'ont conduit. Tu resteras dans nos cœurs celui qui offrait ses services sans compter. Tes encouragements allégeaient nos fardeaux et nous soutenaient dans les moments difficiles. Le souvenir de ta générosité et de ton sourire en toutes circonstances vivra encore longtemps après ton départ. Adieu, notre frère à tous !

Le lendemain, les deux transporteurs roulaient depuis quelques heures et tout laissait prévoir qu'on atteindrait la frontière du Mali avant la fin de la journée. Le calme plat d'une journée étouffante de chaleur avait repris ses droits sur les intempéries des derniers jours. Andréanne se sentait à nouveau envahie par une faiblesse sans nom. Muktar lui offrit une datte, alléguant qu'elle n'avait pris qu'une bouchée depuis la veille au soir.

– Il faut que tu ingurgites quelque chose, lui intima-t-il, la voix remplie d'une douce sollicitation.

– Donne-moi plutôt à boire, murmura-t-elle, le souffle court.

– Voilà, ma belle amour. Il nous reste deux gorgées d'eau. Elles sont à toi.

– Et toi alors ?

– Ne t'en fais pas ; il reste encore un peu de cette eau exécrable dans une des citernes en peau de chameau. C'est mieux que de se laisser sécher au soleil comme un lézard du Togo.

– Que serais-je ici sans toi, Muktar ? fit-elle en posant sur lui un regard débordant d'une tendre reconnaissance.

Après un moment de silence dans lequel les mots n'avaient plus leur raison d'être, il s'approcha davantage et lui dit à voix basse :

– Tu sais, les deux conducteurs ont eu un entretien long et parfois tumultueux ce matin, avant de lever le camp.

– De quoi s'agissait-il ?

– Je ne sais trop. Ma connaissance de l'arabe est plutôt élémentaire. De plus, ces deux-là conversent à une vitesse étourdissante. J'ai à peine saisi le mot « danger » et celui de « bifurquer ».

– Grand Dieu ! Encore un péril ?

– C'est l'impression que j'en ai, chuchota-t-il pour ne pas alerter le reste des passagers. Gardons l'œil ouvert !

– Crois-tu qu'il pourrait s'agir de la frontière ? Pourrait-on nous retenir là-bas ?

– Pas que je sache.

– Mais j'y pense, n'es-tu pas venu par cette voie à ton entrée en Algérie ?

– J'ai pris une route plus à l'est et on m'a tout bonnement laissé passer.

– Et quelle raison as-tu évoquée pour entrer ?

– J'étais de passage avec ma guitare pour aller enregistrer à Paris. On n'a donc pas soulevé d'objection.

– Et cette fois, qu'as-tu prévu ?

– Le retour au pays, voyons !

– Tu as réponse à tout, Muktar. Voilà ce qu'on appelle être taillé pour les voyages.

– Parlant de réponse, d'indiquer le Camerounais de l'index et devenu sérieux, il en vient une par là. Cette voiture qui file sur nous, là-bas, pourrait bien être le péril dont parlait Zubdah en début de journée.

– Et un deuxième véhicule s'en vient de l'autre côté. On va être pris en sandwich, ajouta Andréanne.

En effet, deux jeeps, une de chaque côté, roulaient au loin, parallèlement aux transporteurs du désert parmi les dunes. Les voyageurs se rendirent à l'évidence qu'elles convergeaient vers eux. Les deux conducteurs, Zubdah et Sédat, les avaient aperçues depuis peu et avaient accéléré l'allure. Cependant, les deux jeeps semblaient gagner du terrain, mais elles étaient encore trop éloignées pour qu'on puisse distinguer les personnes à bord.

– Ce sont peut-être des gendarmes chargés de vérifier notre identité, suggéra Andréanne, qui s'était assise pour observer le déroulement de l'événement en cours.

– La force policière ne procède pas de cette façon, crois-moi. Tu te souviens du dernier poste de vérification où il a fallu verser une taxe de passage ? Ils sont toujours au même endroit et dressent une barrière sur un point stratégique du sentier. Par contre, ceux-ci ne nous ont pas interceptés, sachant que leur présence sur la piste pourrait leur attirer des ennuis avec les forces de l'ordre.

– Mais qui sont ces gens et que nous veulent-ils ?

– Des bandits, à n'en pas douter. Des pirates du désert. Ils vivent grâce aux larcins commis aux dépens des voyageurs qui n'ont pas la chance d'échapper à leurs filets.

– Disons plutôt des rebelles, ajouta Saïd qui, jusque-là, s'était contenté d'écouter la conversation d'une oreille distraite tout en observant l'approche des deux jeeps.

Tous à bord commencèrent à s'agiter, inquiets. Les commentaires allaient bon train pendant que Saïd, seul, gardait son calme. Il avait retiré son turban, qu'il tenait en guise de visière ou d'écran contre les poussières de la route, pour avoir une meilleure vue sur l'action en cours.

– Ces gens sont rebelles à quoi ? s'enquit Andréanne à l'oreille de Muktar.

– Mais à la loi, voyons ; à l'autorité.

– Qu'est-ce qu'ils ont contre l'autorité ?

– Je n'en sais rien. L'autorité n'est pas toujours juste envers tous et elle s'attire souvent les foudres ou la révolte de ceux qu'elle opprime.

Un bruit sec, comme une détonation, retentit soudain au loin, et un sifflement sillonna l'air au-dessus des voyageurs. Tous baissèrent la tête dans un mouvement d'autoprotection simultané.

– Voilà qu'ils nous tirent dessus, réagit Muktar d'une voix indignée.

La Toyota et la Landrover roulaient côte à côte et de très près, de sorte qu'ils avaient l'avantage de la piste. Ce sentier, quoique rudimentaire et cahoteux par bouts, n'avait pas, comme au large, la fâcheuse obstruction des dunes et de leurs creux même si, par endroits, l'accumulation de sable sous l'impact des vents obligeait les transporteurs à modifier l'allure de leur course. Mais les poursuivants, quant à eux, devaient composer avec une mer plus houleuse, les dunes de sable au large étant plus volumineuses. L'avantage qu'ils avaient d'être plus légers et plus rapides se trouvait contrebalancé par ce désavantage d'avoir à contourner ces tas de sable, ou parfois même à les surmonter pour ensuite redescendre dans le creux de la vague.

De plus, la précarité du terrain était loin de concourir à la précision du tir des rebelles. Un autre coup de feu, parti du côté opposé, vint ricocher contre la plate-forme de la Toyota.

– Mais ils sont malades, ces bandits, s'indigna Andréanne. Ils vont nous abattre comme un vol de canards.

Les deux transporteurs poussèrent les gaz à fond et prirent lentement de la distance sur leur poursuivants, qui préférèrent continuer leur course en parallèle plutôt que d'entrer dans le sillage des fuyards et d'être aveuglés par leur tourbillon de sable et de poussière à l'arrière. Lorsqu'ils émergeaient sur la crête d'une dune, une nouvelle salve de balles s'abattait de part et d'autre sur les infortunés voyageurs. Par chance, personne n'avait encore été atteint. Chacun, la tête basse, se tenait planqué pour éviter d'encaisser un projectile.

La jeep sur le côté de la Toyota se mit à gagner du terrain et les tirs semblaient se concentrer sur les pneus de la Toyota. À la surprise générale, Hamdi sortit un fusil de derrière les sièges avant de la voiture et pointa l'arme en direction des assaillants. Un coup partit, puis deux. Les coups cessèrent chez l'ennemi, le temps qu'il revienne de sa surprise, mais reprirent de plus belle, profitant de l'avantage de pouvoir tirer en diagonale vers l'avant.

– Passe-moi cette arme, intima Saïd à l'adresse de l'aide de camp, tout en étirant le bras vers la fenêtre ouverte du camion pour attraper le fusil par le canon.

Il s'ajusta rapidement et fit feu sur l'ennemi. La distance entre les belligérants était encore trop grande et les coups, pour la plupart, rataient la cible d'un côté comme de l'autre. Avec la Landrover, l'efficacité de l'attaque avait diminué en raison du retard accumulé par le véhicule rebelle. Il fallait concentrer les tirs là ou l'ennemi se faisait le plus menaçant.

Saïd attendit encore quelque temps, question de ne pas gaspiller de munitions. À fond de train comme on roulait, chacun devait se tenir solidement aux parois dans la boîte arrière de la Toyota. Andréanne avait assisté à des courses de voitures recouvertes tirées par des chevaux, au Stampeede de Calgary, dans l'Ouest canadien. Elle se souvenait de ce spectacle périlleux, quelques années auparavant. Elle et Joseph Albert avaient visité les Rocheuses en lune de miel en Alberta et, pendant cette semaine de festivités « western »,... cette course où une roue avant de voiture avait été arrachée par le choc subi contre celle d'un compétiteur... Quel gâchis ! Un cocher avait été traîné sous les débris de sa voiture pendant un tour de piste avant qu'on réussisse à arrêter les chevaux affolés.

– Il faut rester allongés et se tenir la tête près du plancher, lui intima Muktar en la serrant solidement le long du filet et de la corde retenant les bagages.

Une balle ennemie ricocha et vint se loger dans une des canisses servant de réserve d'eau. Un filet de liquide se mit à dégouliner le long du précieux contenant et sur le parquet du camion. Djuma sortit un chiffon de sa poche et s'en servit pour colmater le trou laissé par le projectile. Les deux transporteurs continuaient leur course infernale, les gaz à fond. Un épais nuage de poussière suivait les bolides pendant que les passagers se faisaient culbuter et s'entrechoquaient.

À un certain moment, la jeep du côté de la Toyota fut assez près pour que les tirs représentent un réel danger. Les coups ricochaient de plus en plus contre la boîte et l'aile arrière du véhicule. Il devenait évident qu'on visait les preus du transporteur et que si rien n'était fait pour l'en empêcher, l'ennemi aurait bientôt raison d'eux. Muktar glissa un mot à l'oreille de Saïd, qui ajusta son arme et visa un certain moment avant de laisser partir le coup.

La jeep du côté de la Landrover commençait à encaisser de la poussière et ses tirs n'avaient pas diminué pour autant. Puis, on la perdit de vue graduellement et les voyageurs, sachant que le poursuivant était désormais hors d'état de nuire, levèrent les bras au ciel et crièrent leur joie, telle une équipe de football après une victoire chaudement disputée. Puis, les regards se tournèrent vers la Toyota, où les occupants se terraient à qui mieux mieux.

Seul Saïd dépassait d'une tête et, de temps à autre, laissait partir un coup de sa carabine Winchester 308 à douilles explosives. Il était assez près de son objectif pour faire mouche mais à chaque coup de feu, un sursaut du camion venait déranger la précision de son tir. Cette fois, il attendit un moment et, profitant d'une accalmie de la piste, il décrocha un tir qui atteint un pneu de la jeep. Celle-ci vacilla, puis s'embourba au creux d'une dune et disparut finalement dans un nuage de sable.

Les deux camions filèrent encore à la même allure un bon moment pour s'assurer de prendre une distance confortable sur les rebelles. L'une des jeeps étant hors de combat, l'autre ne pouvait continuer la poursuite à visibilité nulle ou réduite sans risque de pivoter sur une dune. Ils devaient forcément abandonner l'attaque et retourner à leur campement.

L'astre du jour avait laissé des stries de carmin sous un ciel flamboyant lorsque les voyageurs approchèrent de la ligne limitrophe entre l'Algérie et le Mali. Le danger d'une poursuite étant écarté depuis quelques heures déjà, les transporteurs firent halte à une vingtaine de kilomètres avant de traverser la frontière. Les dégâts de l'attaque rebelle avaient été minimes. Quelques trous de balles sur les parois extérieures des camions et deux perforations ayant vidé une citerne d'eau en peau de chameau sur le côté, tel était le bilan de l'assaut surprise essuyé en début d'après-midi. L'événement, qui aurait pu aboutir à un dénouement catastrophique, avait en somme provoqué plus de peur que de mal.

Zubdah et Sébat semblaient à nouveau avoir des informations significatives à s'échanger. Les deux chauffeurs émergèrent de leurs pourparlers avec une lueur de détermination sur le visage. Les passagers échangeaient entre eux sur les moments d'excitation de la journée, chacun y allant d'un commentaire personnel. Zubdah s'adressa à eux :

– Quelques-uns d'entre vous allez bivouaquer ici avec la Landrover pendant que les autres traverseront la frontière du Mali : nous allons les reconduire à un village de l'autre côté. De là, nous reviendrons chercher plus tard ceux qui seront restés ici.

– Et pourquoi ne pas tous passer en même temps ? s'informa Ourmih.

– Au train d'enfer où nous avons roulé pour échapper aux rebelles, nos réserves d'essence ont baissé plus rapidement que prévu. Il ne nous en reste que pour un véhicule pour atteindre le prochain village du Mali. De plus, nous sommes trop nombreux, nous risquons d'encourir une amende. Toi, Muktar et la Blanche allez rester sur place avec la Landrover.

Muktar et Andréanne se regardèrent, stupéfaits. Celle-ci, que le climat tempéré de la soirée avait remise sur pied, s'offusqua.

– Vous allez nous laisser seuls, au milieu du désert, à la merci de tout ce qui peut nous arriver, et sans savoir si vous allez revenir et dans combien de temps !

– Soyez sans crainte, nous serons de retour demain, au cours de la journée, reprit le conducteur de la Landrover.

– Et pourquoi nous ? riposta Andréanne.

– Pourquoi pas vous ? enchaîna lentement Zubdah en serrant les dents, ses yeux glacés la toisant de façon à lui clouer le bec. Allons, les autres nous partons tout de suite.

Les trois élus prirent leurs effets et les autres regardèrent la Toyota s'éloigner jusqu'à ce qu'elle ne soit bientôt plus qu'un point à l'horizon. Le silence du désert s'installa pour de bon sur le camp, pendant que la pénombre projetait des ombrages au creux des dunes.

– Je pensais avoir tout vu, maugréa Andréanne. Mais voilà qu'on nous abandonne au milieu de nulle part, avec une gourde d'eau, quelques dattes et pas une couverture pour passer la nuit.

– Allons, ma Princesse, le temps est venu de faire confiance à notre bonne étoile, celle que tu vois là-bas.

La lune avait pris la relève et comme elle, à l'horizon, pointait l'étoile polaire, petit point lumineux sur la voûte d'un bleu sombre. Puis s'allumèrent les constellations, une à une, comme les lumières de la rue quand l'heure est venue. La lumière blafarde de l'astre de la nuit jetait sur le Sahara la théâtrale impression d'un monde féerique, figé de façon lugubre dans le temps et l'espace. L'esprit du désert étendait son emprise mystérieuse sur ce royaume silencieux et l'investissait d'une paix douce, invitant le trio au repos.

Ourmih avait déroulé son tapis d'osier lui servant de couche pour la nuit sur le sol désertique. Étendu sur le dos, il contemplait le cosmos, ses rêves accrochés à une galaxie à des milliers d'années-lumière. L'air frais obligea Andréanne à se réfugier sous sa djellaba et à se blottir contre Muktar. Ce dernier la prit dans ses bras et lui murmura combien il l'aimait. Il la sentait nerveuse et remplie d'appréhension. Ses caresses finirent par la calmer et, dans le décor enchanteur de cette nuit féerique, leurs ébats amoureux avaient achevé de leur donner l'impression d'être seuls au monde.

Au petit jour, Andréanne ressentit la morsure du froid lui tenailler le dos. Elle se tourna pour avoir le dos contre son compagnon et sentit quelque chose bouger du côté extérieur. Dans son demi-sommeil, elle se demanda si elle n'était pas en train de rêver. Elle ouvrit les yeux et aperçut une bête poilue de la grosseur d'un cochon d'Inde, collée le long de son corps. Elle réagit promptement et fut sur pied en moins de deux.

– Qu'est-ce que c'est que cette merde ? s'écria-t-elle, les nerfs en boule.

Elle fit quelques pas vers la dune voisine et constata avec ahurissement que la touffe de poils la suivait.

– Muktar, cria-t-elle à son compagnon qui, lui aussi, semblait sortir d'un cauchemar, à l'aide !

Voyant ce qui se passait, celui-ci se fit rassurant.

– Ce n'est qu'un kerto ! Un animal tout à fait inoffensif... Reviens ici et laisse-le aller.

– Mais il me poursuit comme une peste.

– C'est qu'il te trouve sympathique. Bravo pour toi. J'en ferais autant.

Elle fit un long détour et revint vers son point de départ. La petite bête se creusa un trou et disparut sous le sable du désert.

– Tu vois, chérie, ce kerto vient de disparaître jusqu'à la nuit prochaine. Les kertos n'aiment pas le soleil et se protègent de la chaleur en s'isolant sous le sable. Ils descendent au niveau qui convient à leur confort pendant le jour et sortent fouiner la nuit.

– Mais il était collé à moi, tout à l'heure.

– Tout comme nous, la nuit, ils cherchent la chaleur.

Vers midi, sans abri contre les rayons cuisants d'un soleil de feu, les trois abandonnés au milieu des dunes sahariennes avaient consommé quelques dattes et ingurgité chacun une gorgée d'eau. Andréanne se sentait étouffer graduellement. Il lui restait bien peu de forces, et elle se demanda comment elle pourrait terminer cette journée si l'autre camion ne revenait pas bientôt. Muktar lui versa quelques gouttes d'eau sur le visage et sur les cheveux. En milieu d'après-midi, lui et Ourmih commencèrent à désespérer de la voir tenir plus longtemps. Était-ce le retour de sa maladie ?

Un fort bouillon de fièvre lui brûlait le front. Comme une chandelle parvenue à la limite de sa combustion et dont la flamme baisse peu à peu avant de s'éteindre, son souffle se faisait plus court et ses pulsations plus rapides. Tout son corps, étendu sur le sol surchauffé, luttait pour garder la dernière flamme.

– Sous le sable, murmura-t-elle...

– Que dit-elle ? fit Ourmih, qui la regardait avec tristesse en tenant au-dessus d'elle son tapis pour lui prodiguer un peu d'ombre.

– Je crois qu'elle délire, fit Muktar penché sur elle, avec la gourde.

Il humecta ses lèvres et une lueur de vie anima à nouveau le visage cadavérique de la moribonde.

– Andréanne, nom de Dieu, tu dois tenir. Respire lentement, l'implora-t-il. Reste avec nous, je t'en prie.

La Québécoise revint à elle le temps de poser sur ses compagnons un regard d'une sérénité surprenante. Elle se sentait émerger comme d'un long séjour dans une boule de feu où s'était déroulée une rencontre mystérieuse dont elle essayait vainement de se rappeler les détails. Des visages défilaient : celui de sa mère, d'abord. Elle tenait sa petite fille par la main dans les rues de Shawinigan... robe blanche à petits pois rouges, qu'un vent d'automne agitait. Son père et son éternelle pipe... sa sœur Simone, un livre ouvert sur la grande table de la cuisine, lui montrant à lire... Aline, sa sœur jumelle, s'étirant le cou sur le travail d'Andréanne pour vérifier ses problèmes de mathématiques à l'école primaire... la petite église à St-Gérard-des-Laurentides... Acceptez-vous de prendre Joseph Albert ici présent comme époux ?... et de... quel joli poupon... Amanda, le nom lui va bien... c'est votre deuxième fille... Milaine, dites-vous ?

Andréanne sombra à nouveau dans un tourbillon de fièvre. Le feu en elle avait cessé, emporté par une énorme vague marine sur laquelle une jeune fille sur un bateau de papier regardait s'approcher un colossal raz-de-marée. La jeune demoiselle, la bouche ouverte et les yeux exorbitants d'appréhension, tenait le gouvernail de sa frêle embarcation à deux mains et tentait de manœuvrer pour faire demi-tour mais sans succès. Les commandes n'obéissaient plus et la vague allait bientôt engloutir la barque et son contenu lorsqu'un héron bleu géant, sorti tout droit de la Baie des Chaleurs au Nouveau-Brunswick, stria le ciel de ses longues ailes et plongea vers la mer en furie. Il happa de son bec pointu bateau et matelot pour les sauver de la vague d'eau. Soudain, tout bascula. Andréanne se retrouva sur un tapis volant que semblait diriger une main providentielle invisible. Plus bas, les eaux d'une mer à l'infini passaient rapidement. Puis, une terre apparut à l'horizon et, peu après, une piste d'atterrissage. Le tapis d'Andréanne allait se poser lorsqu'une explosion pulvérisa la tour de contrôle et l'aérogare y attenant.

Le tapis accusa trois ou quatre soubresauts et reprit de l'altitude. L'aéronaute en éprouva une forte sensation de liberté par laquelle il lui semblait que tout ne dépendait plus désormais que de sa volonté. Des voix attirèrent son attention vers la droite, et elle remarqua qu'une ville et ses quartiers étendaient leurs rues à proximité. Le tapis passa près d'un dôme et se posa sur une place publique où une foule en colère scandait ce qui semblait un mantra ou des imprécations à résonance arabe.

Andréanne ne mit pas longtemps à reconnaître, acculés au mur d'une mosquée, trois personnages qu'un tribunal s'apprêtait à condamner au gibet. L'un d'eux, l'Iman Ben Al Saoui, tentait de convaincre le jury que lui, Moustafa et Yussef n'avaient à aucun moment tenté de détourner des fonds du trésor public à leur profit. Mais les preuves allaient à l'encontre de ces réfutations et le jury prononça un verdict de mort sans appel.

Le chef du tribunal, vêtu d'une longue tunique pourpre ceinturée d'un cordon noir, se leva, fit une révérence à l'endroit de ses collègues et se dirigea vers Andréanne qui, surprise, descendit de son tapis et se prépara à recevoir cet officiel. Le juge en chef lui prit la main et lui souhaita la bienvenue.

– Nous n'avons pas l'habitude de visiteurs de votre rang, madame. Nous feriez-vous l'honneur d'occuper le fauteuil présidentiel pour cette circonstance importante ?

– Et en quoi cela vous servira-t-il ? s'enquit-elle, intriguée.

– Après quelque délibérations, il vous sera loisible d'entériner le verdict du jury ou de gracier les condamnés.

Au moment de s'installer sur le trône près du jury, la foule acclama la nouvelle venue dans une ovation digne d'un personnage royal. Puis s'approchèrent, tour à tour, Fatma, l'épouse de l'Iman... et les autres membres la famille qui avaient accueilli l'étrangère à Alger.

– Voici votre ordinateur portatif et votre billet d'avion pour le retour au Canada, déclara Fatma d'un geste gracieux. Je vous en prie, soyez magnanime et laissez aller nos amis.

– Allah vous le rendra, Madame, supplia la fille de Yussef… Il faut leur pardonner.

Andréanne sentit en elle un mouvement de sympathie pour ces gens qui lui avaient offert un accueil amical. « Nous ne pouvons accepter vos promesses de règlement pour cette dette », entendait-elle encore Yussef dire. « Il nous faut du concret. »

– Qu'on leur tranche la tête ! criait la foule.

Les membres de la famille continuaient à implorer la clémence de la dame d'honneur, et celle-ci se sentit aux prises avec un véritable dilemme. Trancher les têtes… Il fallait tout au moins trancher la question. C'est en somme ce que l'on attendait d'elle. L'épée de la justice était entre ses mains et devait servir, réalisa-t-elle, à retrancher soit la vie de trois êtres, soit les chaînes qui les reliaient à la potence.

Dans un élan de sa générosité naturelle, Andréanne pensa qu'il valait mieux pardonner et se libérer ainsi d'un poids qui d'une certaine façon n'apportait rien de joyeux dans le ciel de ses émotions. Elle leva la main pour calmer les clameurs de l'assemblée mais, au même instant, lui vint l'idée qu'une fois libérés, les trois malfrats recommenceraient peut-être impunément leur petit jeu avec de nouvelles victimes.

– Silence ! clama le chef du tribunal en étendant à bout de bras un long ruban pourpre, symbole de l'autorité magistrale lors de la tombée d'un verdict dans une cause d'envergure. La dame d'honneur, dont nous estimons tous au plus haut point la présence parmi nous, est prête à statuer sur le sort des condamnés. Accueillons avec déférence les trésors de sagesse que s'apprête à nous confier notre invitée.

Le calme était revenu dans la foule, où chacun attendait avec anxiété, l'attention centrée sur les gestes et paroles de l'étrange présidente d'instruction, la décision qui allait sceller le sort des condamnés. Celle-ci se tint debout et calme sur son estrade pendant un certain moment, regardant avec amour et compassion tous ces gens qui un instant plus tôt réclamaient la tête de trois des leurs. Puis, elle prit la parole :

– En vertu de l'honneur insigne que me confère cette auguste assemblée, c'est pour moi un plaisir de vous rendre le verdict que voici :

Il est bien connu que l'évolution des peuples, des sociétés et des individus, qu'on la considère sur le plan économique, politique ou religieux, se réalise selon un mouvement de pendule oscillant de droite à gauche et vice versa, en passant chaque fois par le centre afin de maintenir son équilibre. Les deux extrêmes sont représentés par le conservatisme et le libéralisme, la stagnation et le changement, les ressemblances et les différences. Les idéologies et surtout les religions offrent aux enfants de la terre leur symphonie de ressemblances et de différences, de points communs et de divergence. Depuis trop longtemps hélas, les divergences nous plongent dans les conflits et les guerres qui minent nos forces et détruisent bon nombre d'entre nous. Le temps n'est-il pas venu d'unir nos talents et de miser sur nos points communs ?

En conséquence, et par les pouvoirs que viennent de me conférer les représentants de ce tribunal et du peuple algérien, je gracie les trois condamnés en cause dans cette affaire et les remets en liberté.

Un murmure de mécontentement parcourut la foule des gens du peuple alors que des bravos discrets s'élevèrent des officiels de la mosquée.

– Il s'agit toutefois d'une liberté attachée à deux conditions essentielles.

Le silence s'installa à nouveau chez les spectateurs.

– Les trois intimés devront consacrer le reste de leur existence à l'étude, à la recherche, à la découverte et à la diffusion de tout ce que les religions du monde ont en commun.

La foule émit un « ah » de surprise à l'unisson. Les officiels musulmans restèrent interloqués.

– En second lieu, poursuivit la présidente du tribunal, l'Iman Ben Al Saoui et ses deux associés mettront sur pied, à l'Université d'Alger, un département consacré à cette recherche et une chaire d'étude visant à former des spécialistes capables d'établir l'union des grands courants d'idées, précurseurs de la coopération et de la paix universelle.

Alors que les membres du tribunal s'apprêtaient à lui confier la présidence de cette chaire d'étude et que la foule l'acclamait dans cette fonction honorifique, le tapis volant s'approcha lentement d'Andréanne, qui jugea le moment venu de monter à bord et de saluer d'un geste majestueux tous ces gens qui, plus que tout, auraient aimé la retenir et faire d'elle un symbole de la grandeur à laquelle chacun d'eux aspirait secrètement. Sa destinée la conduisait cependant dans un ailleurs dont elle n'avait pas encore la clairvoyance. Que d'univers ne fallait-il pas explorer pour s'accomplir pas à pas ?

Cette idée retint son attention encore un moment, puis le tapis, contenu inclus, piqua du nez dans un gouffre sombre... un gouffre silencieux et noir.

Les ombres de la nuit avaient succédé aux dernières lueurs du jour, cependant qu'Andréanne n'avait donné aucun signe de vie depuis plusieurs heures déjà. Sa respiration semblait au point mort et son pouls, s'il n'avait pas complètement décroché, ne donnait, lui non plus, aucun signe de vie. Muktar était au désespoir. « Pourquoi l'ai-je emmenée dans ce désert infernal ? se répétait-il inlassablement. J'étais pourtant certain qu'elle tiendrait. Elle était si rayonnante de vie, si dynamique, si remplie d'enthousiasme. Je l'aurais crue capable de se rendre au bout du monde à dos de chameau. »

Tout en gémissant sur son sort et sur celui de sa bien-aimée, son regard rempli de chagrin errait au loin parmi les ombrages que projetaient les dunes, sous l'éclairage argenté de la lune. « Ce que je donnerais pour être un de ces amas de sable et recevoir le corps de ma douce Andréanne », songea-t-il dans son trouble intérieur. Il la contempla encore un moment. Sous la lumière blafarde de la nuit, son visage s'était figé en une amorce de sourire. Son teint cireux parlait de délivrance. Elle s'était rendue au bout de son voyage, sans avoir revu ceux et celles qu'elle aimait dans son pays.

– Allons, mon ami, le consola Ourmih, tu sais comme moi ce qu'on fait dans un moment semblable au Cameroun.

– Je sais, répondit Muktar le regard rempli de sanglots. Mais laisse-moi encore un peu auprès d'elle. Elle semble si bien dormir. Laisse-moi admirer encore son visage et emporter pour toujours cette image du bonheur qu'elle a retrouvé.

Puis, saisissant son instrument de musique, il effleura quelques touches qui émirent dans l'air désertique une note plaintive. Les deux Camerounais entonnèrent ensuite, dans leur dialecte, un chant exprimant le désarroi que subissent ceux qui viennent de perdre un être cher... un chant, venu de la nuit des âges... un chant, que leurs ancêtres de toutes les générations et nombre de tribus africaines avaient porté en eux, et qui avait servi d'exutoire dans les moments de grandes tribulations.

Les notes lugubres de ce chant funèbre se répercutèrent une bonne partie de la nuit. Au lever du jour, les veilleurs s'étaient allongés près de leur amie, et c'est dans cet état de sommeil que les avaient surpris les premiers rayons du soleil. Ourmih, le premier, s'éveilla avec la montée du mercure. Quelque chose d'étrange lui vint à l'esprit. Se souvenant que la défunte était étendue sur le dos, il remarqua qu'elle était à présent dans une position différente. Muktar l'aurait-il tournée sur le côté ? Et dans quel but ? Intrigué, il s'approcha d'elle et l'observa attentivement. Rien, cependant, ne semblait perturber les traits de ce visage que le repos le plus complet semblait avoir figés de façon indélébile.

Cet examen superficiel n'était toutefois pas de nature à satisfaire le questionnement qu'avait suscité l'observation du jeune Camerounais. Il lui fallait en avoir le cœur net. Il remarqua ensuite que la blancheur de la défunte n'était pas tout à fait cadavérique. En effet, il lui trouva même une certaine couleur aux lèvres, une teinte rosée. « Ou bien je rêve, ou bien mes yeux me jouent des tours, se dit-il. Je parierais ma dernière goutte d'eau que la Blanche n'a pas encore dit son dernier mot. »

Il poussa discrètement Muktar du pied et lui fit signe de se lever.

– C'est toi qui l'as tournée sur le côté ? fit-il en pointant l'index.

Muktar se frotta les yeux, regarda la scène et fronça les sourcils.

– Non, corrigea-t-il, devenu perplexe, et toi ?

– Moi non plus.

– Par Allah, elle vit encore, s'écria-t-il en revenant de sa surprise. Vite, donne-moi ta gourde.

– Mais il me reste à peine une gorgée de liquide pour affronter cette nouvelle journée.

– Que le ciel te bénisse de ta générosité, s'exclama Muktar en saisissant le flacon, dont il répandit quelques gouttes sur les lèvres gercées de sa protégée. Il lui prit une main qu'il trouva étonnamment froide pour un être vivant. Il en fit part à son compagnon.

– Pas étonnant, fit celui-ci, avec la nuit glacée que nous avons eue !

– Et nous n'avons pas songé à la recouvrir. Nous sommes impardonnables.

– Nous la pensions…

– Regarde, elle a bougé un bras, fit Muktar, excité à l'idée de retrouver sa bien-aimée. Il s'étendit près d'elle et s'empressa de la réchauffer.

Le soleil prenait de la force et acheva de réanimer ce corps, qui jusque-là était resté apparemment inerte. Ses muscles se dégourdirent peu à peu et, après un moment, la vie sembla reprendre ses droits sur celle qu'elle avait abandonnée, comme la nature au printemps lorsque les bourgeons se remettent à fleurir.

– Comment est-ce possible ? se réjouit Muktar. Elle revient à la vie. Un véritable miracle ! Voilà, ma belle princesse, avale ces dernières gouttes d'eau.

– C'est ça, nous allons tous mourir ensemble, s'embrumait Ourmih, qui regardait disparaître le reste du précieux liquide.

– Il ne faut pas désespérer. Zubdah aura sans doute eu quelques pépins à la frontière ou aura été retardé au prochain village. De toute façon, il doit revenir par ici pour retourner chez lui dans les Hauts Atlas.

– Assez palabré ; donne-moi cette gourde. Pourquoi gaspiller notre réserve pour une personne qui n'a aucune chance de s'en tirer ? As-tu perdu la tête ?

Ourmih s'abattit sur son ami et tenta de lui arracher la gourde. Muktar se débattit et échappa le contenant, qui se vida sur le tapis poreux du désert…

Au début de l'après midi de cette deuxième journée où ils étaient laissés à eux-mêmes, les trois prisonniers du désert en étaient parvenus à la limite de leur capacité d'endurance. Andréanne était revenue à elle par brefs moments, à la joie fugace de Muktar qui lui aussi était bien près de sombrer dans le délire de la phase terminale. Ourmih avait les yeux fixés sur sa gourde vide et rêvait d'un rafraîchissant filet d'eau qui lui coulerait à longs traits dans la bouche et sur le corps. Il entendait des bruits de moteur dans toutes les directions, mais rien ne se matérialisait. Il en fit part à Muktar qui, lui aussi, entendait le vrombissement d'un véhicule au loin.

– Je crois qu'ils reviennent. Nous aurons bientôt de l'eau. Sauvés, nous sommes sauvés ! Encore un effort, Andréanne ; les voilà qui arrivent.

Mais ces moments d'exaltation passés, tout retombait dans le silence et rien de tangible n'était en vue. Pas un mouvement de l'air, dans cette chaleur de four crématoire, ne venait soulager l'étouffement graduel du trio.

– De l'eau ! murmura une autre fois Ourmih, étendu sur le sable brûlant du Sahara. Par pitié, un peu d'eau…

Muktar entendit un faible gémissement venant d'Andréanne et, au même moment, un bruit de moteur au loin. Cette fois, il refusa de porter attention à ce faux espoir de voir arriver la Toyota et se contenta de penser à celle qui les avait accompagnés jusque-là. Elle avait résisté et supportait encore le poids du jour, la fièvre de la malaria en plus. Quel être extraordinaire que cette femme venue d'un autre continent, vers lui, un Africain dépourvu de tout.

Le bruit de moteur n'était désormais plus un écho lointain et potentiel dans l'air survolté de chaleur. Il se rapprochait, à n'en pas douter, et lorsque le Camerounais eut le courage de lever la tête et d'ouvrir les yeux pour voir arriver la Toyota qui vint s'immobiliser près d'eux, il refusa même d'y prêter attention, certain qu'il était d'être le jouet d'un mirage...

Le poste frontalier était en vue et la Toyota ne tarda pas à s'arrêter sous le regard scrutateur des deux douaniers en fonction. L'un d'eux, au teint cuivré et de taille moyenne, portait une casquette avec l'insigne militaire des forces de l'ordre algériennes. Il leva la main et se plaça en travers du passage des arrivants. Zubdah ralentit, puis stoppa devant l'officier armé d'une mitraillette zx94 prête à cracher une salve de projectiles meurtriers. L'œil sévère et méfiant, il donna l'ordre à tous de descendre. Son compagnon se tenait tout près, observant lui aussi le comportement des occupants de la voiture.

– Voyons, protesta le conducteur, je suis passé deux fois ici depuis trois jours et vous ne me reconnaissez pas ?

– C'est justement ! Pourquoi ce va-et-vient ? s'enquit l'officier d'une voix rauque. Et qui sont ces gens ?

Mais en apercevant Andréanne étendue sur la plate-forme du camion, il s'approcha d'un air circonspect et parut surpris en la regardant de plus près. Son aspect cadavérique et son teint provoquèrent chez cet homme endurci une réaction de sympathie inattendue. Il fit signe à son compagnon de le rejoindre.

– Et que fait cette femme Blanche ici ?

– Elle est très mal en point et il nous faut aller chercher de l'aide au prochain village sans plus tarder.

Les deux gardiens se consultèrent un moment et le plus trapu des deux exigea les passeports, vérifia leur identité et préleva un dédommagement pour chacun des passagers, ce qui représentait un défi dans l'état de dépouillement où ils se trouvaient.

Andréanne avait plus ou moins repris conscience depuis le sauvetage impromptu du trio. L'eau dans la réserve du camion ayant fait quelques miracles, les Camerounais surtout étaient revenus sur pied et Muktar vint consulter Andréanne sur la décision à prendre quant à la façon de régler leur passage face aux exigences douanières. Celle-ci compris l'impasse dans laquelle ils se trouvaient tous et fit signe à son compagnon de lui apporter sa trousse de voyage. D'une pochette où elle réussit à introduire la main, elle retira un collier que lui avait remis sa mère et qu'elle gardait précieusement depuis son adolescence. Avait-elle le choix ? Elle le perdrait de toutes façons si elle n'accédait pas rapidement à des soins. Il la regarda avec compassion et hésita un moment avant de prendre ce gage précieux de son amour pour eux tous.

– Lorsque ma musique nous rapportera des tonnes d'argent, lui confia-t-il d'un air déterminé, je pourrai te procurer les plus beaux colliers au monde, mais celui-ci sera perdu à jamais. Je ne sais que dire...

Elle referma les yeux et lui fit signe d'aller en paix. Il s'éloigna, troublé, ne sachant que penser d'une générosité aussi spontanée. Les douaniers examinèrent l'offre un moment et acceptèrent de laisser entrer les voyageurs au Mali.

– Je n'avais pas remarqué ces trous de balle, observa un douanier en examinant l'aile arrière du camion. On vous a attaqués ?

– En effet, fit Zubdah d'un air déterminé, mais on les a semés, ces bandits.

– Il s'agit sans doute de cette bande de rebelles qui ont attaqué une caravane la semaine dernière, s'exclama un garde-frontière à l'adresse de son confrère, de l'autre côté du véhicule.

– Vous avez eu plus de chance qu'eux, obtempéra celui-ci. Ils ont tous été tués. Le voisinage n'est pas très sain dans cette contrée.

– Ouf, nous l'avons échappé belle ! fit Ourmih en poussant un soupir de soulagement.

– Mais pourquoi ne les arrête-t-on pas ? s'indigna Muktar.

– Parce que ces crapules changent continuellement de place. Ils bivouaquent quelques jours à un endroit et lèvent le camp dès qu'ils sentent un danger. On ne sait jamais où ils se trouvent. Ce sont eux qui vous trouvent.

Sous l'effet de l'humidité produite par l'eau sur ses vêtements, qu'on avait arrosés copieusement, Andréanne était revenue à elle suffisamment pour saisir la conversation en cours. Elle parvint à s'asseoir et réalisa soudain la chance qui était sienne d'être encore vivante. Elle avait perdu du poids au point de n'être plus que l'ombre d'elle-même. Son regard était celui d'une rescapée d'un séjour au royaume des morts. L'abîme d'une souffrance indicible s'y lisait encore. Par cette fissure s'étaient envolées toutes ses forces, et sa faiblesse extrême était celle d'un roseau qu'un simple déplacement d'air aurait pu renverser.

Un mélange d'horreur et de pitié effleura, le temps d'une pensée, le visage du garde-frontière au carnet de notes qui l'avait vue se redresser péniblement. Son expression de surprise, mêlée à une sympathie soudaine, remplacèrent momentanément les traits durs de cet homme habitué aux vicissitudes du désert. Sa surprise était d'autant plus grande qu'au premier abord, il avait pris cette forme humaine allongée derrière la Toyota pour un cadavre à qui on allait offrir une sépulture. Il consulta rapidement son collègue et, de concert avec lui, décida de ne pas retenir ces passants plus longuement. Le premier village du Mali sur cette route, celui d'Aguelhok, dresserait bientôt ses huttes de terre cuite à une vingtaine de kilomètres de ce poste frontalier sud-algérien.

Muktar songeait à tout ce qu'ils avaient vécu, lui et Andréanne, dans ce pays, à mesure que le poste des gardes s'amenuisait à l'horizon.

– Nous l'avons échappé belle, ma chérie. Nous voilà hors d'atteinte de nos poursuivants maintenant qu'un autre pays nous a ouvert ses portes.

– Le Mali enfin, se réjouit Andréanne d'une voix faible.

– Avec des soins, au prochain village, tu seras bientôt sur pied. Reste étendue là où tu es, et tâche de te détendre… Une fois à Abidjan, capitale de la Côte d'Ivoire, on trouvera un studio de musique pour notre enregistrement.

Muktar avait cependant oublié cette autre barrière un peu plus loin. Celle que les passagers venaient de passer leur assurait la sortie d'Algérie, certes, mais l'autre, dont on entrevoyait les installations plus avant, servait de poste d'entrée en Afrique noire. En apercevant les soldats armés qui les attendaient, l'œil sournois, le Camerounais ne trouva pas de raison de s'alarmer : le pire, selon lui, était maintenant derrière eux.

– Halte, ordonna un militaire d'une voix sèche.

– Par Allah, en voilà une façon d'accueillir des visiteurs, fit Zubdah à voix basse.

– Sortez de là et présentez vos papiers !

Tous descendirent et obtempérèrent à l'examen d'entrée. L'un des militaires s'approcha de l'arrière du camion et aperçut Andréanne allongée sur le plancher de la voiture.

– Qu'est-ce que c'est ?

– Voilà son passeport, répondit Muktar d'un geste nerveux.

L'officier examina le document un moment et alla trouver ses collègues à l'intérieur du poste. Au bout de quelques minutes, des bruits de voix suivis d'une chaude discussion retentirent à l'intérieur, et deux officiers portant l'uniforme algérien vinrent examiner la passagère de plus près.

– Que font ces policiers algériens en territoire malien ? se demanda le Camerounais d'un air inquiet.

– Il s'agit d'une patrouille du désert, commenta Ourmih. Ils se connaissent entre gardes-frontières et ils viennent se consulter à l'occasion.

– C'est bien une Blanche, observa l'un deux avant de retourner à l'intérieur.

Cette fois, on ferma la porte du kiosque où s'étaient réunis gendarmes algériens et officiers maliens. Les bruits de voix fusaient toutefois par une fenêtre ouverte et Ourmih, malgré sa connaissance rudimentaire de l'arabe, entendit les mots « valeur monétaire » et « grosse somme d'argent ».

– Il ne manquait plus que ça, devina Muktar. Ces policiers sont au courant de notre fuite d'Alger et ils vont nous ramener là-bas.

– Pas possible, murmura Andréanne à qui l'eau avait donné un bref retour de conscience.

– Ou bien ils veulent la ramener en Algérie et la retenir prisonnière sous une fausse accusation pour en réclamer une somme importante de sa famille ou des autorités canadiennes, poursuivit Ourmih.

La porte du kiosque s'ouvrit à nouveau, et un patrouilleur algérien sortit avec des documents pour se diriger ensuite vers le poste administratif où il disparut. Pendant que durait l'attente, les voyageurs se regardaient, perplexes. Muktar se voyait déjà séparé de celle pour qui son amour avait continué de grandir à travers les épreuves. Le retour au désert lui serait fatal. Elle ne résisterait pas deux jours de plus sans les soins du dispensaire malien du prochain village. Sans doute les Algériens se disent-ils qu'elle en a trop vu en Algérie. Ne risque-t-elle pas de transmettre à l'extérieur des informations qu'on ne tient pas à divulguer ? Ils croient sans doute qu'elle est journaliste et ils vont s'organiser pour la faire disparaître. Pourquoi avait-elle déclaré à Alger qu'elle devait envoyer de l'information au Canada via le web ? N'était-ce pas la raison de leur acharnement sur elle ?

Lorsqu'il s'approcha d'elle et la releva à demi, elle vit le chagrin sur son visage en larmes. Il la prit dans ses bras et lui murmura, la voix brisée par l'émotion, que si ces malins s'avisaient de la ramener en arrière, il exigerait qu'on le renvoie avec elle. Il s'engageait à subir le même sort qu'elle jusqu'au bout.

Un soupir de soulagement vint alléger le fardeau qui l'oppressait. Peu importe où ils iraient et ce qu'elle aurait encore à endurer, ils seraient ensemble jusqu'au bout. Malgré les mises en garde de tous genres faites par ses proches, au-delà de ce qu'elle avait enduré jusqu'ici et en dépit de ce qui l'attendait, elle réalisa qu'elle avait pris la bonne décision, celle de tout quitter, de tout risquer pour venir trouver celui qu'elle aimait. L'immense bonheur qui l'habitait en ce moment et qu'elle retrouvait dans le regard de son bien-aimé valait à lui seul bien plus que tout ce qu'elle avait pu imaginer et désirer jusque-là. Toute sa vie, elle avait rêvé d'un amour dont les profondeurs atteindraient les confins de l'univers. Celui qu'elle ressentait à présent les dépassait. Que pouvait-on désirer de plus ? La vie ne lui avait-elle pas apporté ce qu'elle pouvait lui donner de meilleur ?

À travers la paix bienfaisante qui envahissait toutes les fibres de son être, Andréanne sentit ses forces l'investir à nouveau.

– Aide-moi à me lever ! fit-elle, radieuse.

– Mais...

– C'est bien, j'y arriverai seule, annonça-t-elle d'un air de défi peu convaincant.

Il la retint près de lui un moment, transporté de joie et partageant avec elle ces moments d'un indicible bonheur. Puis, elle se leva péniblement, aidée de ses bras vigoureux, et elle se tint debout. Elle fit un pas chancelant par elle-même et retomba dans les bras de celui qui la surveillait de tous les feux de son admiration amoureuse.

Ourmih s'approcha en douce pour ne pas rompre le moment d'intimité des deux amoureux et chuchota à l'oreille de Muktar qu'il avait entendu le mot « Interpol » par la fenêtre du kiosque. Les deux amis se regardèrent, interloqués, ne sachant que penser de cette énigme. Puis, la porte du kiosque s'ouvrit, livrant le passage aux deux patrouilleurs du désert. L'un d'eux remit le passeport d'Andréanne à Muktar.

– Veuillez nous excuser pour ce contretemps, fit-il simplement. Vous pouvez reprendre la route.

Saïd, qui s'était entretenu avec les policiers à leur arrivée à ce poste, jeta un regard frustré en direction de Muktar et se contenta de détourner la tête lorsque celui-ci leva les yeux sur lui.

Le petit village de huttes aux toits de branches de palmier, nommé Aquelhok, reposait sous la lumière d'un soleil déclinant à l'horizon lorsqu'un groupe de gamins ayant entendu au loin l'écho des moteurs s'attroupèrent au centre de la place publique, anticipant le loisir principal en ce lieu, soit l'arrivée d'un groupe d'étrangers à bord de ces véhicules également étranges. Les camions vinrent se garer près des puits, au centre de la place, où les femmes venaient puiser l'eau au moyen d'une écuelle installée au bout d'une longue perche ; elles versaient ensuite l'eau dans l'amphore familiale.

Chacune approchait la Blanche et observait curieusement sa peau. Certaines la touchaient pour s'assurer qu'elle était bien réelle.

– Les gens du Canada souffrent-ils tous de cette absence de couleur ? s'informa l'une d'elles.

Puis, voyant que Muktar lui répandait de l'eau sur le corps, elles se mirent à l'asperger copieusement et l'affublèrent du sobriquet de « Poisson Blanc ».

Elles se dirigèrent finalement vers leur hutte, la cruche remplie et montée en équilibre sur leur tête. Ce fut l'occasion de refaire les réserves en eau. Les voyageurs se mirent joyeusement de la partie, tout en profitant de l'occasion pour s'arroser après la longue traversée sous la chaleur intense et la sécheresse étouffante du Sahara.

Près d'une hutte plus vaste faisant office de quartier général pour les transporteurs du nord et du sud, attendaient, désœuvrés, le groupe de passagers de la Landrover, arrivés à Aguelhok depuis bientôt deux jours. Ayant bivouaqué ensemble et partagé quelques jours de route dans les dunes sahariennes, plusieurs des membres des deux équipes avaient noué des liens d'amitié et se réjouissaient à l'idée de se retrouver sains et saufs.

Les festivités furent toutefois de courte durée, la nuit étant déjà là et le couvre-feu coïncidant avec l'arrivée de l'obscurité, comme dans bien des villages éloignés de l'Afrique noire, où l'électricité était un phénomène aussi rare que celui de l'eau courante. Chacun eut droit à une cellule agrémentée d'un hamac, une douceur qui contrastait avec les longues nuits froides à bivouaquer à la belle étoile et marquait de façon ostensible le retour à la civilisation.

Le lendemain, deux autres transporteurs du sud étaient au village malien d'Aguelhok. Arrivé dans la matinée, l'un d'eux allait rejoindre une route plus à l'est, vers le Niger. L'autre allait franc sud en longeant le Burkina Faso, autrefois connu sous le nom de Haute-Volta, pour ensuite pénétrer le Ghana et la Côte-d'Ivoire. Muktar avait longuement débattu en lui-même l'épineuse question de choisir laquelle des deux voies allait offrir les plus grands avantages dans la réalisation de son projet musical. Des amis dans le domaine l'accueilleraient dans son Cameroun natal et lui prodigueraient une bonne part de l'assistance logistique requise. Mais ce voyage vers l'est serait plus long, plus coûteux, et le Cameroun ne disposait pas de studios d'enregistrement à la hauteur des attentes professionnelles du chanteur africain. La Côte-d'Ivoire, elle, était mieux nantie, et il y connaissait aussi des amis.

Il en fit part à Andréanne qui, avec les soins reçus depuis son arrivée à Aguelhok, avait repris des forces et un peu de poids. Sa mine avait suffisamment changé pour qu'on la suppose en état de reprendre la route. Aussi jugèrent-ils à propos de s'embarquer à bord d'un taxi jusqu'à Gao, une ville modeste du Mali à quelque distance de Tombouctou.

Le taxi minibus à trois sièges, malgré son état quelque peu délabré, s'avéra plus confortable que l'avait été la boîte arrière de la Toyota. Le teint foncé, mais non d'un noir africain, du conducteur malien témoignait de son origine arabe. Il semblait habitué aux routes raboteuses et remplies de trous dans ce pays où des touffes de verdure, çà et là, annonçaient la fin prochaine du Sahara et en même temps donnaient plus de prise à l'érosion et moins de chance à la mouvance du sable pour niveler les anfractuosités de la piste. Saïd, avec son air sournois, de même que Djuma, Ahmed et Ourmih, occupaient les sièges arrière avec Andréanne et Muktar. Deux nouveaux passagers accompagnaient le conducteur sur la banquette avant : des Sénégalais, que des affaires conduisaient à Abidjan, capitale de la Côte-d'Ivoire.

Deux heures de route suffirent à faire reculer un peu plus le désert et ses interminables dunes. La campagne du Mali, à l'approche du fleuve Niger, roulait ses collines verdoyantes à la vue des voyageurs comme un tapis sablonneux hérissé de palmiers épars et de plantes tropicales. La nuit de repos à Aguelhok avait donné à Andréanne des forces supplémentaires en vue du trajet à venir.

– Quelque deux milliers de kilomètres séparent la frontière nord du Mali et le golfe de Guinée près d'Abidjan, constata Muktar après une lecture attentive de sa carte routière. J'espère que tu tiendras le coup.

– Combien de jours ? s'enquit Andréanne d'une voix faible.

– Deux et demi à trois jours environ, avec les haltes. Mais nous pouvons arrêter quelque part et prendre le repos nécessaire.

Encore faible et peu encline à débattre les aléas du périple à venir, la convalescente posa silencieusement la tête sur l'épaule de son protecteur et exerça une douce pression de ses bras affaiblis autour de sa forte taille. Il comprit qu'elle s'en remettait à lui et que désormais, leur sort était intimement lié à tout ce qui pourrait leur advenir sur cette route où une nouvelle existence s'offrait au développement de leur amour. Il en éprouva une joie qu'il sentait coïncider avec le fond de ses aspirations intimes.

De son côté, Andréanne regardait s'égrener les maigres touffes de verdure dans la pampa semi-désertique en songeant qu'à compter de ce moment, un retour à la vie lui était soudainement devenu possible. Et avec la vie, que de possibilités ! Une joie indicible inonda tout son être et ce regain du goût de vivre, et cette joie, Muktar les sentit à nouveau palpiter sur le visage qu'il effleura de ses longs doigts dans une caresse qui en disait plus que toutes les conversations qu'ils avaient eues jusque-là.

À quatre-vingt-dix kilomètres avant d'arriver à Gao, la route se scindait en deux. Le village de Bouren y avait ses assises. Le minibus y fit halte, le temps de permettre aux passagers de se restaurer rapidement grâce aux achats de friandises et autres mets offerts par des vendeuses maliennes avec d'énormes plats qu'elles portaient sur la tête ou à bout de bras. Depuis leur entrée dans la vallée du Tilemsi, où la luxuriance du paysage contrastait depuis peu avec les arides étendues de sable qu'avait offertes le Sahara, tout au long de son interminable traversée, Muktar et Andréanne s'étaient entretenus sur les hasards qu'offraient les frontières du Niger et du Burkina-Faso, plus au sud, via la route la plus courte pour atteindre la Côte-d'Ivoire. Il fut décidé que le tracé en direction ouest vers Bamako serait plus sécuritaire et, de cet endroit, il serait possible en bifurquant vers le sud de traverser en Côte-d'Ivoire en évitant les deux autres pays.

– Il aurait été intéressant pour toi de connaître les villes capitales que sont Niamey et Ouagadougou, remarqua le Camerounais, mais nous y reviendrons pour promouvoir notre musique une fois nos enregistrements sur le marché. Les gens de la Haute-Volta sont friands de mélodies et de chants rythmés.

– Allons droit au but, convint Andréanne, qui lisait sur le visage de son compagnon la passion qu'allumait en lui l'idée de réaliser le grand rêve de sa vie.

Les deux Sénégalais avaient d'ailleurs opté pour la route allant vers Bamako, mais les autres, dont Saïd et ceux qui avaient traversé le désert avec eux dans la Toyota, continuaient vers le sud et leur souhaitèrent bonne route en évoquant la possibilité de les revoir au terminus de Ferkessédougou, un village ivoirien d'où ils pourraient à nouveau cheminer ensemble vers Abidjan.

Les quatre voyageurs n'eurent qu'une heure d'attente avant de monter dans un autobus allant vers Bamako, capitale du Mali. Les deux Sénégalais, au début de la trentaine, ne tardèrent pas à se lier d'amitié avec Muktar et Andréanne. L'éclatante blancheur de cette dernière les avait séduits, et ils offrirent de défrayer les passages du couple, dont le budget avait atteint le fond de la caisse. L'offre ne pouvait tomber mieux. L'un d'eux, Nouma, un Noir au teint d'ébène, cherchait des investisseurs pour une mine d'or découverte par ses parents non loin de son village natal sénégalais. La trouvaille était en voie d'exploitation mais il manquait de fonds pour atteindre la rentabilité. Djibo, son compagnon et ami de longue date, le secondait dans sa mission d'affaires. Grand et mince, au visage anguleux, ce dernier avait reçu une éducation moyenne et parlait de son pays comme étant le plus beau de l'Afrique. Les siens demeuraient dans un véritable jardin de verdure tropicale qu'Andréanne et Muktar devraient visiter un jour. Ils avaient même apprivoisé des léopards qui venaient en toute confiance, avec une tigresse, visiter les abords de son village pour y recevoir quotidiennement une ration de lait de coco. Aussi foncé de teint que son compagnon Nouma, Djibo était toutefois moins volubile que ce boute-en-train qui s'intéressait à tout. La compagnie de ces deux passagers à bord du transporteur déjà chargé à pleine capacité offrait un divertissement contrastant radicalement avec la morne traversée du désert qu'avait été le séjour saharien.

Au village de Bamba, on procéda à l'échange de quelques passagers et l'autocar longea ensuite le fleuve Niger, dont les proportions lui donnaient plutôt l'air d'un modeste cours d'eau dans cette province nordique du Mali, en bordure des étendues sablonneuses d'Azaouad. L'escale fut également brève à Gourma Rharous.

Vers le milieu de l'après-midi, les voyageurs arrivèrent à Tombouctou, un village malien haut en couleur. Situé en bordure d'une région bondée de lacs, Tombouctou offrait au visiteur le charme de la végétation tropicale, ce qui eut le don d'enchanter Andréanne au plus haut point. Jamais elle n'avait admiré une telle variété de palmiers, une floraison aussi touffue. Partout où se portait le regard, l'exubérance botanique offrait à l'observateur le spectacle d'un jardin d'une magnificence sans pareille.

En bordure du fleuve Niger, à l'état de rivière à cet endroit, un quai retenait, dans son enclave, des pirogues de toutes dimensions. C'est à Tombouctou que les passagers en route pour Bamako devaient procéder à un transfert d'autocar. L'attente d'un peu plus d'une heure donna à Muktar et à Andréanne le temps d'une balade pour se dégourdir les jambes et explorer l'artère principale de la ville.

Ici, un marchand offrait des peaux de lézards et de guépards. Là se dressaient deux défenses d'éléphant entourant l'entrée d'une boutique où, dans des comptoirs de friandises, on exposait des figurines sculptées en ivoire. Plus loin, un comptoir mercantile offrait des colliers de tous genres dont quelques-uns étaient sertis de dents d'alligator. Enfin, l'allée centrale de Tombouctou représentait une véritable jungle de produits hétéroclites.

Andréanne avait repris du poil de la bête et cette balade à humer des odeurs étranges, loin de l'épuiser, semblait lui apporter une énergie supplémentaire.

– Je crois que l'Afrique me convient, avoua-t-elle en admirant un immense cocotier au coin d'une rue.

Au moment où ils approchaient de cet arbre plus que centenaire et qu'ils prirent place à une terrasse tout près pour y déguster un délicieux lait de coco, un singe de taille minuscule descendit le long de l'arbre par petits bonds et se planta devant la table des étrangers, surpris par l'aspect inusité de la Québécoise au teint encore pâlot. Il cligna des yeux d'un air bouffon et passa une main joufflue sur son front, comme pour se demander s'il n'était pas en train de rêver. Andréanne lui sourit aimablement et lui tendit une friandise qu'elle prit sur la table devant elle. Le chimpanzé fronça les sourcils et tendit la main pour accepter l'offre. Tout le temps que dura l'opération, ses petits yeux vifs allaient rapidement de la friandise au visage d'Andréanne, surveillant les moindres gestes de cet être qui lui semblait pour le moins étrange. Puis, il remonta par bonds rapides en haut du cocotier pour y déguster sécuritairement sa friandise en poussant des cris de satisfaction.

Le fond de l'artère principale de Tombouctou était celui d'une terre rougeâtre quelque peu sablonneuse. Lorsqu'une jeep ou un véhicule quelconque s'y amenait, un nuage de poussière s'élevait, comme si une tornade s'était mise de la partie. Andréanne eut tout juste le temps de placer une main sur son verre de lait de coco lorsque l'un de ces nuages prit d'assaut la terrasse et ses occupants.

– Ouf, s'exclama Muktar en se frottant les yeux. Partons d'ici. Les tempêtes de sable et moi, ce n'est pas compatible.

Au bout de la rue, le quai de Tombouctou, sur le Niger, regorgeait de pirogues et d'embarcations diverses. Des pagayeurs en tenue de brousse offraient leurs services. L'un d'eux s'approcha de Muktar.

– Louez ma barque pour une visite au lac Do, proposa-t-il.

– Venez plutôt avec moi au Niangay. Je suis le pagayeur le plus rapide de Tombouctou, intervint un autre.

Muktar engagea la conversation avec un troisième Malien au teint de charbon. Le dialecte employé ressemblait à une série de sons semblables, presque totalement dépourvus de consonnes. À voir gesticuler les interlocuteurs, Andréanne comprit que le dialecte en cours n'était pas celui qui convenait à l'entente du Camerounais. Sans doute arriverait-il à comprendre une bonne part de cette langue mais lorsqu'il devait répondre, la majorité des mots n'arrivant pas en service, la mimique et les gestes tentaient de combler le reste.

– Plusieurs autres lacs d'un intérêt exotique particulier étendent leurs eaux grouillantes d'attraits divers, confia Muktar à sa protégée. Le lac Garou, quant à lui, nécessite un parcours dans la jungle où l'on peut observer une communauté de gorilles d'un genre qu'on ne retrouve nulle part ailleurs. Au lac Kararou, près des monts du Hombori, il est fréquent de voir des crocodiles de très près.

– Merci, je préfère la compagnie des humains, fit-elle avec un frisson d'appréhension.

– À bien y penser, nous n'en avons ni le temps, ni les ressources financières. Et même si nous les avions, observa-t-il, ton état de santé ne te permet pas encore de faire une excursion en brousse.

Neuf cents kilomètres de piste à travers une jungle tropicale parfois épaisse séparaient la ville nordique de Tombouctou de Bamako, sa capitale administrative et politique. La vallée du fleuve Niger y déroulait ses plantureuses étendues de verdure que parcourait l'autobus dans lequel prenaient place Andréanne, Muktar et ses amis sénégalais. Les villages étaient rares et les arrêts aussi. L'autobus ne parvint à Bamako que tard dans la nuit. Rompus de fatigue, les quatre voyageurs, de même que la plupart de ceux qui les avaient accompagnés à l'arrivée dans la capitale, somnolèrent jusqu'au matin sur les bancs du terminus, dans l'attente d'une reprise des activités chez les transporteurs.

La nuit fut brève et les voyageurs se réveillèrent courbaturés aux bruits des camions transporteurs, parfois mal nantis en silencieux, dans leur retour au service matinal. Le premier départ remontait vers la Mauritanie. Le second longeait le plateau Mandingur en direction sud-ouest vers la Nouvelle-Guinée. Un autre se dirigeait vers l'est, à Ouagadougou en Haute-Volta. Il fallait attendre encore un peu pour un départ vers le sud et c'est celui que prirent ceux qui allaient en Côte-d'Ivoire, à quelque deux cent cinquante kilomètres de Bamako.

Au moment de quitter cette ville hétéroclite, des vendeurs itinérants parcoururent la cour intérieure du terminus avec des plateaux de fruits et autres denrées dont se sustentèrent bon nombre des gens en transit. Andréanne trouva soutenant le gobelet de lait de coco auquel on avait ajouté un œuf d'autruche battu et des bananes en purée, de quoi remettre un éléphant sur ses rails.

En dépit de la fatigue du voyage, Andréanne avait continué de se remettre, et ses forces physiques avaient retrouvé une bonne part du mordant des jours d'avant la traversée du désert. Muktar s'en réjouissait au plus haut point en lui répétant que l'air tropical lui allait à merveille.

– Ce paysage digne d'un véritable paradis est sans doute ce qui me ramène à la vie, lui disait-elle. Et quelle plus grande joie pourrais-je espérer que celle de t'avoir là, au milieu de ce décor féerique ?

Le nouvel autobus allant en direction de la frontière ivoirienne était moins délabré que celui qui avait amené les voyageurs à la capitale malienne la journée précédente. Comme bon nombre des transporteurs en zone tropicale, ce véhicule public ne possédait aucune fenêtre. Il s'agissait d'une plate-forme motorisée, sur roues, avec un toit de toile soutenu par de simples poteaux latéraux. Pas de murs, sinon un simple garde-fou fait de tuyaux horizontaux.

Par ces ouvertures naturelles, Andréanne regardait filer les rangées de bananiers dans une plaine où ces fruits étaient cultivés à perte de vue. À certains endroits, des travailleurs, des femmes surtout, longeaient la route avec d'énormes régimes de ces fruits encore verts sur la tête, en route sans doute vers un centre de triage où elles recevraient un maigre salaire pour leur dur labeur.

Une cinquantaine de passagers se partageaient, dans le car, un espace prévu pour une trentaine de personnes seulement. Les banquettes à trois en contenaient quatre en plus de ceux qui, debout dans l'allée centrale, semblaient heureux de voyager ainsi à toute vitesse sans avoir à cheminer à pied, avec leur fardeau sur les épaules, par cette chaleur écrasante. Le bus traversa un pont ; un panneau indicateur portait l'inscription *Rivière Boulé*.

– Bougouni, annonça le conducteur à l'entrée d'un village qui semblait important par l'aspect de ses rues et de ses bâtiments.

Une mère et quatre bambins, assis devant une maison de bambou, regardaient passer l'autobus d'un air émerveillé.

– Regarde comme ils sont mignons, ces petits, remarqua Andréanne.

– Arrêt de trente minutes, poursuivit le conducteur en garant le véhicule près de la place du marché.

– Allons voir cette famille, proposa Andréanne, dont l'instinct maternel avait été réveillé par les enfants devant la maison de bambou.

Muktar acquiesça et se dirigea avec elle à l'autre bout du carré central. Il s'adressa à la jeune mère dans son dialecte, avec un sourire qui sembla ouvrir d'emblée les écluses de la conversation. La mère et sa progéniture étaient vêtus simplement, avec des tissus confectionnés à la main et de couleurs variées. Tous regardaient l'étrangère, avec surprise. Muktar ajouta quelques mots et les enfants s'approchèrent d'elle sans réticence. Celle-ci s'empressa de prendre le plus jeune dans ses bras ; elle le souleva et le serra sur son cœur.

– Tu es ravissant, lui dit-elle. Et vous aussi, mes amours. Approchez que je vous embrasse.

Elle les cajola, transportée de joie par la réaction de ces jeunes frimousses qui semblaient avoir trouvé en elle le trop-plein de tendresse que la traversée du Sahara avait refoulé au plus profond d'elle-même. Son cœur se resserra à la pensée de les quitter et une larme de tristesse perla sur sa joue. La mère, sentant vaguement son désarroi, s'approcha d'elle et, d'un geste naturel, lui prit le bras en lui adressant un regard chargé d'une douce gratitude.

Pendant les cinq derniers jours, Aline Leclerc, de St-Gérard-des-Laurentides, avait reçu de façon régulière un appel de Milaine ou d'Amanda, de Lévis, s'informant si l'une des tantes avait eu des nouvelles d'Andréanne. Les deux filles, inquiètes de leur mère au plus haut point, ne savaient plus à quel saint se vouer

L'anxiété était palpable également chez les sœurs Leclerc en Mauricie. Là aussi, le branle-bas avait atteint des proportions endémiques. Les trois résidentes de la région shawiniganaise se réunissaient régulièrement chez l'une d'entre elles pour faire le point sur la situation que le temps ne faisait qu'envenimer, faute de renseignements sur celle que l'on croyait de plus en plus irrémédiablement perdue.

– Si ta certitude qu'elle n'est plus de ce monde est à ce point ancrée dans l'évidence, supputait Aline au raisonnement de Simone, alors à quoi bon poursuivre l'exercice et faire pression sur l'ambassade en vue de la retrouver ?

– Nom de Dieu, mais est-ce que je rêve ? Ma propre sœur ne tient même pas à savoir ce qui est arrivé à sa sœur jumelle !

– Tu fais erreur sur mes intentions, Aline. On la retrouvera tôt ou tard, et vivante je l'espère. Dans le cas contraire, ce n'est pas notre empressement qui la ramènera à la vie. C'est tout ce que je veux dire.

– Je suis également d'avis qu'on doit talonner les instances diplomatiques pour qu'elles prennent l'affaire très au sérieux, ajouta Marthe, dont le *black out* sur Andréanne mettait les nerfs à fleur de peau.

– Leur réaction à ton idée de lancer l'alarme dans les journaux va achever de mettre les grands moyens en branle, remarqua Aline. J'ai l'impression que les nouvelles ne vont pas tarder à nous parvenir.

– Les avis de recherche devraient au moins aider à trouver une piste. Ils ne se sont quand même pas évaporés au soleil, acquiesça Marthe, le regard perdu au fond de sa tasse de thé.

Fengréla accueillit les voyageurs en fin d'après-midi. Il s'agissait du premier village ivoirien sur la route conduisant à Boundiali, puis à Karhoga. La traversée de la frontière ivoirienne s'était passée sans incident pour la plupart, sauf pour deux Mauritaniens qu'on retint pour une question d'identité portant à confusion. En soirée, le bus entra à Ferkessédougon. À Odienné, on avait bifurqué vers l'est jusqu'à Ferkessédougon pour rejoindre une piste centrale couvrant la distance nord-sud entre Bobo-Dioulasso en Haute-Volta, et Abidjan en Côte-d'Ivoire.

Un autre arrêt marqua le changement de direction, et une partie des passagers descendirent au terminus de Ferkessédougon pour prendre un autre train vers le sud. Muktar et Andréanne regagnèrent le même autobus avec leurs amis sénégalais pour voyager de nuit vers Bouaké, puis Yamoussoukro. C'est là qu'au matin, ils entrèrent avec les premiers rayons du jour, encore fatigués après un sommeil mouvementé et intermittent sur une route cahoteuse et se prêtant difficilement au repos.

Ferkessédougon, une ville ivoirienne près de la frontière du Burkina Faso, sur le Grand tronc ferroviaire nord-sud, se situait plus ou moins à mi-chemin entre Ouagadougou et Grand-Bassam, non loin d'Abidjan. L'autobus reprit son itinéraire vers le sud. Il atteignit le village de Katiola et la ville de Bouaké au cours de la journée, de même que Yamoussoukro, la deuxième agglomération urbaine en importance dans ce pays où la population des éléphants dépassait celle des humains il n'y a pas si longtemps encore. À Toumodi et à Nodouci, surtout, des passagers montaient à bord avec d'énormes sacs de produits qu'ils allaient vendre sur le marché d'Abidjan. L'autocar étant déjà bondé, le contrôleur refusa de laisser monter à bord bon nombre d'entre eux.

Une dame et son fils avaient pris place sur la banquette de Muktar et d'Andréanne. Un de leurs sacs avait été déposé entre les deux sièges, sur le parquet de l'autobus et aux pieds de cette dernière. Leur arrivée avait provoqué un peu de bousculade, tirant momentanément de son sommeil la Québécoise que l'arrêt du véhicule avait replongée dans les bras de Morphée. L'exiguïté de l'espace, à ses pieds, l'amena à changer de position et elle sentit quelque chose bouger dans le sac le long de sa jambe.

– Qu'est-ce que c'est ? fit-elle en sursautant.

Au même instant, une tête émergea du sac et imposa de sa voix sonore un retentissant cocorico qui la glaça de surprise. Muktar et les proches témoins de la scène éclatèrent d'un rire qui les secoua pendant un long moment.

L'hôtel du Nord, à l'entrée d'Abidjan, était le lieu de rencontre de beaucoup de voyageurs nouvellement arrivés dans la capitale ivoirienne, en provenance des pays plus au nord. Il fallait les voir surgir du terminus d'autobus à proximité. Par groupes de deux ou trois, ou même seuls, ils transportaient à bout de bras de volumineux fardeaux qu'ils plaçaient sous surveillance dans une salle d'entreposage, près du hall d'entrée.

Andréanne et Muktar se présentèrent à la réception, accompagnés de leurs compagnons sénégalais. Ceux-ci avaient décidé de régler la note de leurs amis pour une durée de trois semaines. Après cette période, au début de la deuxième semaine de juin, l'argent de la maison à Lévis pourrait être encaissé et utilisé afin de poursuivre leurs activités.

Mais ce qui importait pour le moment, et de façon très urgente, c'était de donner des nouvelles à la famille, là-bas au Canada. Andréanne le savait et osait à peine s'imaginer dans quel état d'esprit se trouvaient ses sœurs à St-Gérard-des-Laurentides. « Mortes d'inquiétude » était l'expression qui lui revenait à l'idée. Ses filles aussi devaient s'imaginer les pires scénarios. Onze jours sans donner de nouvelles, dans un pays où on ne fait pas de quartier à ceux qui dérogent à la règle, onze jours d'attente angoissante et de désespoir, onze longues journées de silence total, un gouffre sans fond pour l'imagination ; que peut-il bien s'être passé ? Comment a-t-elle fini ? On ne le saurait peut-être jamais. Voilà les terribles questions que devaient se poser les siens.

Il fallait agir et vite. Le gérant mit sans tarder les installations hôtelières à contribution. L'hôtel du Nord ne possédait en fait qu'un seul appareil pour la téléphonie. Et c'est ce truc importé, encore rare dans la capitale ivoirienne, qu'on se hâta de mettre à la disposition de la blanche étrangère afin qu'elle puisse, comme elle le réclamait de façon pressante, acheminer en Amérique un message de la plus haute importance.

Frais virés obligeant, une opératrice d'Abidjan finit par établir le contact avec une collègue d'outre-mer. À partir de ce moment-là, Milaine ne tarda pas à se manifester au bout du fil. Une petite voix, comme sortie d'une boîte à surprise à l'autre bout du monde, lui disait à l'oreille : « Maman, c'est toi ! Tu es vivante ! Dieu soit loué ! Mais où es-tu ? Que se passe-t-il ? »

– Comme c'est doux d'entendre ta voix, Milaine. J'ai bien failli ne plus jamais te revoir… Si tu savais… Elle eut un serrement de cœur, suivi d'un moment de silence à la pensée qu'effectivement il s'en était fallu de peu pour qu'une dune lui serve de sépulture. Le préposé à la réception tendait l'oreille tout en faisant mine de s'absorber dans ses dossiers.

– Maman, tu es là ?

– Oui, oui, Milaine. J'essaie de retrouver ma voix. Je suis là.

– Mais où es-tu donc ?

– En Afrique toujours ; en Côte-d'Ivoire.

– Mais, c'est en Afrique noire ça. Que diable fais-tu en Côte-d'Ivoire, et qu'as-tu fait tout ce temps sans donner de nouvelles ?

– Je comprends, ma chérie. Mais dans le désert, comment appeler ?

– Comment, le désert ? Tu es passée par le désert pour te rendre là ?

– Oui, l'enfer du Sahara. Plusieurs y restent. J'en ai vu deux périr. J'ai été très malade.

– Et maintenant, comment vas-tu ?

– Beaucoup mieux. Sans les soins dans un dispensaire en entrant au Mali, je crois que j'y passais.

– Maman, tout le monde ici se faisait du souci pour toi. On commençait à désespérer de te revoir un jour. Reprends l'avion et reviens nous trouver avant qu'il t'arrive d'autres malheurs.

Le préposé au comptoir du hall d'entrée avait laissé ses dossiers et regardait l'étrangère d'un air inquisiteur. Au moment où Andréanne se tourna par hasard dans sa direction, il replongea dans ses documents, l'air absorbé par ses calculs.

– Pour cela, il me faudrait d'abord de l'argent et l'envie d'y retourner. Et pour l'instant, je n'ai ni l'un ni l'autre.

– Maman, qu'est-ce qui te retient là-bas ? Es-tu là contre ton gré ? Allons, tu peux me le dire.

– Milaine, j'ai trouvé, malgré tout ce qui m'est arrivé de malheureux, un homme qui m'apporte le plus grand bonheur : celui d'aimer et d'être aimée. Et nous allons réaliser ensemble un rêve : celui d'enregistrer un C.D. de ses chansons.

– Comment peux-tu être certaine qu'il ne profite pas de toi, maman ? Que sais-tu de cet homme plus jeune que toi ? Tu ne connais pas sa famille, ni ses amis. Comment sais-tu qu'il te dit la vérité ?

– Milaine, comment oses-tu ?

– Je ne suis pas seule à penser que tu es en train de te faire avoir. Mes tantes de St-Gérard-des-Laurentides le pensent aussi. Tes beaux-frères également. On se rallie à l'idée que tu fais l'objet d'une escroquerie. Comment comptes-tu persuader le conseil de famille de risquer de t'envoyer l'argent de ton précieux patrimoine, cette marge de sécurité pour ton retour et ta subsistance ici ? Ta seule véritable sécurité pour ta retraite un jour ?

– Mais qu'est-ce qui te dit que je veux vivre là-bas, sans amour ? J'ai maintenant ce qui comble le plus grand de mes besoins. Ici, j'ai une raison de vivre ; tu comprends ?

– Et nous, ici, pour toi ça ne compte pas ?

– Oui, bien sûr, et vous me manquez terriblement. Mais j'ai besoin d'un bonheur encore plus grand, plus complet. Celui que j'ai présentement et que je ne pourrais quitter sans abréger mes jours, comble à lui seul toutes mes espérances dans ce sens. Le seul problème, c'est la distance entre vous et lui.

– Et toi aussi tu nous manques, maman. Il ne faudrait surtout pas qu'il t'arrive quoi que ce soit.

– Pour le moment, je vais bien mais j'ai besoin de sous pour survivre. On peut s'en tirer avec très peu d'argent ici, mais il en faut tout de même.

– Un peu oui, mais comment pourrai-je persuader tes sœurs de t'envoyer la totalité de tes économies ? Elles croient déjà que tu as perdu la boule et que tu n'es plus en mesure de gérer ces dernières et précieuses réserves.

– C'est tout de même mon argent ; et mon état d'esprit a-t-il à subir la parcimonie de leur inquisition ?

– Si tu me permets d'émettre une opinion, eh bien je suis d'avis qu'on peut investir une partie de ses réserves pécuniaires seulement. Mais si tu engloutis tes derniers sous dans une aventure incertaine, comment pourrai-je prétendre devant le conseil de famille que tu agis sagement... ?

– Muktar a du talent et il s'agit d'une bonne affaire. Il est honnête et c'est un grand chanteur.

– Très bien, maman. Et à supposer que ce ne soit pas un chanteur de pomme, ce n'est pas garanti, même s'il a du talent, que son premier enregistrement sera un succès. Lui, il ne risque rien alors que toi, tu joues à la roulette russe avec tes dernières ressources. Nom de Dieu, maman, sois prudente !

La barre du jour, ce matin de mi-mai en Mauricie, était tamisée par d'épais nuages qui, la matinée durant, avaient tenu le disque solaire à l'écart. En après-midi, des trombes d'eau s'étaient abattues en orages violents sur le village de St-Gérard-des-Laurentides. La communauté retenait son souffle dans l'attente d'une accalmie. Les sœurs Leclerc s'étaient réunies à la suite d'un appel de Milaine. Le conseil de famille tenait ses assises chez l'aînée des sœurs d'Andréanne. Simone avait tenu à ce que Marthe et Aline soient là pour cette délibération importante. La bonne nouvelle, celle de savoir que leur sœur était vivante en Afrique, amenait dans sa suite l'épineuse question de l'envoi d'argent.

– Il va de soi, amorça Aline, jumelle d'Andréanne, que si on lui envoie tout cet argent, elle va le flamber. Et après, c'est nous qui allons devoir la supporter à son retour ici.

– Je ne vois pas comment on pourrait l'empêcher de faire ce que bon lui semble avec ses sous. Elle y a droit.

– Si j'ai bien compris, obtempéra Simone, elle est sur la corde raide et il lui faut survivre là-bas.

– Andréanne n'a pas besoin de tout cet argent pour survivre en Afrique, opina Aline d'un ton ferme. Elle n'a jamais eu la bosse des mathématiques et il serait désastreux de laisser un tel montant entre ses mains.

Marthe sortit un document de sa serviette et poursuivit :

– Thomas et Évelyne, nos voisins, ont fait une recherche sur Internet, et il paraît qu'on peut vivre convenablement en Côte-d'Ivoire avec deux ou trois dollars par jour.

– Mais on ne peut passer notre temps à lui envoyer deux ou trois dollars par jour. Elle réclame son argent et, si nous ne le lui envoyons pas, elle nous en voudra pour le reste de ses jours, fit remarquer Simone avec justesse. Vous connaissez assez Andréanne pour savoir combien sa réaction sera intense. Sommes-nous prêtes à vivre avec sa rancœur pendant toutes ces années ?

– Et tous les mauvais commentaires qu'elle fera sur nous, acquiesça Aline.

– Pour le moment, il faut la sauver ; on n'est pas pour la laisser mourir de faim.

– Il faudrait dabord la ramener au pays, fit Aline qui voyait dans cette solution une façon de la soustraire à l'influence d'un profiteur potentiel. On sait bien que lorsqu'Andréanne a une idée en tête, il n'y a pas grand-chose pour la lui enlever. Elle n'est pas programmée pour entendre raison. On est d'accord là-dessus, n'est-ce pas ?

– Tout à fait, affirma Marthe, qui ne pensait pas toujours à l'unisson de ses deux congénères. Milaine a raison de songer que son Muktar a beau jeu. Il va lui faire dépenser ses épargnes pour un rêve et rien d'autre qu'un rêve. Andréanne n'a aucune connaissance et encore moins de compétence dans le monde de l'édition musicale. Il a tout son temps pour lui monter un bateau à la mesure de ses ambitions. Il peut la charmer et ne faire qu'une bouchée d'elle ensuite. Imaginez ce qu'elle ressentira une fois qu'il aura profité d'elle et l'aura rejetée comme une vieille guenille devenue inutilisable. Allons, il faut faire en sorte qu'elle retrouve un peu de sa dignité à son retour parmi nous. On a le devoir de retenir son argent ici.

– Pas si vite, protesta Simone d'une voix outrée, trouvons plutôt quelqu'un là-bas pour administrer un montant qu'on lui enverra.

– Un organisme qui prendrait l'argent en fiducie ? ajouta Marthe en songeant que l'idée méritait réflexion.

– Bien pensé, fit Aline, pas encore convaincue. Mais on ne connaît personne là-bas.

– L'ambassade aurait sans doute quelqu'un à nous proposer, suggéra Simone.

– Et pourquoi l'ambassade elle-même ne pourrait-elle pas gérer ce portefeuille ? compléta Marthe, dont le côté intellectuel s'alimentait sporadiquement en éclairs de sens pratique, un ingrédient qu'on lui avait infusé à même le lait maternel.

De la salle à dîner de l'hôtel du Nord, à Abidjan, un murmure de voix arrivait aux oreilles de Fumu, le préposé à la réception qui remplissait simultanément les fonctions de gérant d'hôtel, de secrétaire, de trésorier, de cuisinier, de serveur, de concierge, enfin, d'homme à tout faire. À l'arrivée de Muktar, d'Andréanne et des deux Sénégalais, la journée précédente, la direction de l'établissement hôtelier de quatre étages avait accueilli avec empressement les voyageurs du désert, mais Andréanne avait remarqué le passage de Saïd dans cet endroit et noté, non sans appréhension, le tête-à-tête qu'il avait eu avec Fumu. Avant de partir, Saïd avait remis quelques billets de monnaie ivoirienne au préposé de l'hôtel du Nord. Pourtant, Saïd n'était pas inscrit au registre des quelque cinquante chambres en ce lieu d'hébergement. Fallait-il supposer que le caïd algérien avait une dette envers Fumu et qu'il avait tenu à la lui régler à ce moment ? Ou avait-il une faveur à lui demander, des renseignements à obtenir ? Toutes les hypothèses étaient valables dans ces circonstances qu'on ne pouvait qualifier que d'étranges.

– Voilà mesdames, salua Fumu en déposant un pot de café fumant sur la table de ses deux clientes. Je vous apporte le menu ?

– Non, ça ira, répondit Andréanne avant de s'adresser à nouveau à son interlocutrice de l'Ambassade canadienne, qui avait tenu à la rencontrer en après-midi.

Elle huma l'arôme envoûteur du café ivoirien dans une pause silencieuse, qui lui permit de rassembler ses idées et de faire le point sur la situation. Puis, de l'index et du pouce, elle souleva délicatement la petite tasse contenant un liquide aussi noir que l'épiderme du cuisinier, en avala un mince filet et posa à nouveau, d'un air satisfait, le contenant sur la surface marbrée de la table, au centre de la salle à dîner.

– Si j'ai bien compris, Madame Morissette, ma fille a communiqué avec l'ambassade canadienne à Ottawa et vous avez reçu d'eux le mandat de constater ma présence ici. C'est exact ?

– Tout à fait, et malgré vos traits un peu tirés, vous ne semblez pas si mal en point. Comment vous sentez-vous ?

– Beaucoup mieux, à présent, répondit Andréanne. J'en ai pris un coup avec la traversée du désert. En fait, il s'en est fallu de peu pour que j'y aie mon adresse permanente.

– Etes-vous en sécurité, ici ? Vous sentez-vous menacée ou en danger de quelque façon ?

– Pas du tout, je vous l'assure, fit Andréanne en songeant comment Muktar lui avait juré de donner sa vie pour elle s'il le fallait. Je me sens bien protégée et surtout aimée, ce qui est beaucoup dire en ce qui me concerne.

L'employée du consul lui accorda un regard plein de mansuétude. Avait-elle également trouvé dans ce pays africain quelqu'un à la mesure de ses hantises et de ses vides ? Était-elle éloignée d'un amour qu'elle avait dû quitter pour un travail à l'étranger ? Elle passa à la question suivante :

– Avez-vous besoin de quelque chose ? Pourrions-nous vous être utiles de quelque façon ?

– Oui, s'empressa d'affirmer la Québécoise, j'ai besoin d'argent. Je dois survivre.

– Très bien ! On verra ce qu'on peut faire.

– D'accord, nous vous ferons crédit pour débuter ce projet d'enregistrement puisque vous semblez solvable, de préciser Sami, le propriétaire du studio Bassami. Mais les deux mille dollars requis devraient être versés d'ici cinq jours au plus tard.

– Je suis en communication avec ma famille, et l'envoi de cet argent ne devrait pas tarder, réitéra Andréanne à l'endroit de l'Ivoirien, d'origine mauritarienne.

Comme la majorité de ses concitoyens en Mauritanie, Sami et sa mère Dara étaient Maures de souche ou, si l'on veut, Arabes, d'où leur teint pâle mais non blanc comme ceux d'origine européenne, ni noir, à l'instar des Africains purs. Ils avaient le commerce et l'esprit d'entreprise dans le sang. Dara, une femme de bonne corpulence, était douée d'une personnalité forte. C'est elle qui prenait la relève lorsque son fils devait s'absenter d'Abidjan pour affaires ou autre. Ses décisions, en l'occurrence, s'avéraient d'une rigidité que l'équipe des techniciens avaient parfois du mal à entériner.

Sami, par contre, affichait une personnalité agréable et, malgré son teint basané, il avait presque l'air canadien. Son sens pratique exigeait la bonne marche de son entreprise et l'homme d'affaires en lui emboîtait le pas sur sa mansuétude naturelle. C'est toutefois cet aspect de sa nature qui l'avait amené à plier dans sa décision de faire crédit selon les instances de Muktar. Néanmoins, il exigea que ce dernier laisse sa guitare en garantie, exigence à laquelle le Camerounais s'était plié de bon gré.

Le choix du studio avait exigé deux jours de recherches et de démarches. La visite de deux autres entreprises d'enregistrement avait été déterminante dans le choix du studio Bassami qui, lui, offrait le meilleur support technique et la plus haute fiabilité de résultat en regard du prix et des conditions de réalisation. À raison de trois ou quatre heures par jour de travail sur place, l'équipe avait l'avantage d'œuvrer dans un local pourvu d'air climatisé et dans une ambiance décontractée où s'établit bientôt une atmosphère de type familial.

– Voici Rico, technicien à l'enregistrement sonore. C'est lui qui vous fera reprendre chaque note jusqu'à ce que son oreille de connaisseur obtienne satisfaction complète, leur avait dit Sami. Ne vous découragez pas, car votre succès reposera pour une bonne part sur ses connaissances et son expérience.

Le studio Bassami, un bâtiment moderne à un étage, dressait sa structure de pierres à la limite du Plateau, le quartier le mieux nanti d'Abidjan. Muktar et Andréanne n'avaient pas loin à marcher pour s'y rendre. Aussi était-il rare qu'ils aient à héler un taxi pour leurs déplacements pendant le temps que durèrent les séances d'enregistrement chez Bassami.

Quant au deuxième technicien, surnommé Fantoche, il était Ivoirien. D'un noir charbon, il était petit, maigre, il avait les cheveux longs et très frisés. Il avait, en plus de son boulot chez Bassami, une entreprise chez lui, un travail autonome en édition musicale. Fantoche était un artiste au grand cœur. Il était toutefois réaliste et savait que le succès passait par un travail acharné. Son expérience dans le domaine de l'édition musicale avait été marqué par de graves injustices. Des Blancs avaient profité de ses talents et abusé de ses efforts au travail. Il en avait gardé une rancœur tenace et avait développé un racisme que les pluies de sa raison n'arrivaient pas à éteindre.

Sur un continent dont l'histoire portait encore les stigmates d'un colonialisme éhonté, la Côte-d'Ivoire n'avait pas échappé à la convoitise européenne. Après le ratissage humain de villages complets amenés en esclavage, les richesses naturelles y étaient passées. Des empires y avaient établi leur domination et exploité à leur profit les populations indigènes que l'époque moderne avait laissées démunies, loin derrière dans leur effort de développement. L'Afrique représentait une tache sombre sur les parcours nébuleux de la race humaine et Fantoche était comme une antenne, plus sensible que les autres à ces lésions douloureuses dans le subconscient collectif de sa race.

– Heureusement que cet enregistrement n'est pas pour la Blanche, avait-il dit à Muktar dans une conversation dont Andréanne avait saisi des bribes, derrière le mur du studio où elle attendait patiemment ce dernier.

Dans quelques moments, au retour à l'hôtel du Nord, il la prendrait dans ses bras vigoureux et lui murmurerait doucement à l'oreille qu'elle était la plus belle, celle qui régnait majestueusement sur ses vastes espaces intérieurs, au firmament de ses émotions.

Dans la matinée de la troisième journée à Abidjan, Driso, le gérant de l'hôtel du Nord, vint frapper à la porte quarante-deux, celle de la chambre qu'occupaient Andréanne et Muktar. L'ambassade canadienne allait envoyer une voiture la chercher dans une demi-heure, lui annonçait-on par voix de communiqué téléphonique. Elle était convoquée à une entrevue avec la secrétaire du consul. S'agissait-il d'une rencontre protocolaire ou d'un rendez-vous pour régler une formalité entourant son statut en Côte-d'Ivoire ? La dépêche ne stipulait aucunement le but de la rencontre avec les représentants de son pays.

– J'aurais fort à parier, confia-t-elle à Muktar avant de monter à bord de la limousine diplomatique dépêchée à son intention, qu'on a reçu mon argent et qu'on va bientôt pouvoir régler la facture de notre projet.

– Puis-je t'accompagner ? s'enquit ce dernier.

– Madame doit venir seule, fit le chauffeur, qui avait entendu la requête du Camerounais. Ainsi le veut la consigne.

Il la regarda s'éloigner avec un mélange d'excitation et de déception pendant que de son côté, Andréanne, ayant retrouvé le confort d'un modernisme qu'elle avait failli ne plus revoir, sentait la morsure d'un déchirement pas tout à fait logique puisqu'elle ne s'éloignait de celui qu'elle aimait que temporairement. Pourquoi l'angoisse d'une séparation qui ne saurait durer ? Elle réalisa à quel point leur relation avait grandi pendant la traversée du désert et combien elle tenait à cet être qui maintenant ne pourrait plus lui être enlevé sans qu'elle en ressente un vide inquiétant.

Tout en regardant défiler les hauts palmiers de chaque côté de la rue, dans ce quartier cossu du Plateau, elle songea à ce que Milaine lui avait dit à l'autre bout du fil. L'inquiétude des siens à son sujet étant ce qu'elle était, on mettrait certes de la pression pour qu'on la ramène au pays. Elle en éprouva une crainte qui la remua profondément. Ce bonheur indicible qu'elle avait acquis en jouant le tout pour le tout était soudain menacé d'écroulement. Après le gouffre du silence, l'arrachement à son univers antérieur pour s'en échapper, les menaces de ses poursuivants à Alger, la fuite au désert pour retrouver la liberté, les affres de la maladie, le séjour au royaume des agonisants et l'incommensurable joie d'avoir trouvé le bonheur, allait-on s'emparer d'elle au nom de l'amour des siens et de sa sécurité pour la retourner à la sécheresse d'un autre désert, celui de son monde moderne ? La perte de Muktar lui serait fatale. Comment pourrait-elle vivre sans lui, à présent ? Aussi bien mourir de faim mais heureuse, le cœur comblé d'amour, que de retourner à l'étouffement graduel et mourir par manque d'amour mais le ventre plein.

De plus, ici, dans cette oasis amoureuse, on pouvait subsister avec si peu. L'argent serait là. Ce n'était qu'une question de temps. Mais en même temps, elle songea aux mises en garde de Milaine. Bien sûr, la peur de ne plus revoir sa mère lui avait fait perdre les pédales de la confiance. Et Muktar était un homme de confiance. Il le lui avait prouvé. Il lui avait juré d'aller jusqu'au bout avec elle. C'était un type bon et fiable ; tout en lui parlait d'amour et de fidélité. Comment pourrait-il la décevoir ?

Mais la graine du doute avait été enfouie dans le sol de son subconscient, et ce n'est pas en la refoulant plus loin sous terre qu'on l'empêcherait de se développer. Au contraire, l'ombre de l'oubli favoriserait sa croissance. Sans doute aurait-il fallu l'extirper du sous-sol et l'exposer au grand jour. Mais pourquoi lui exposer ce doute et risquer de ternir leur relation amoureuse ? Il valait peut-être mieux attendre. Tôt ou tard, le temps viendrait éclaircir la question.

La limousine prit un tournant et entra dans une aire de stationnement. Le chauffeur, un Canadien travaillant au compte de l'ambassade, accompagna Andréanne dans un vaste bâtiment ressemblant de près à un centre commercial. À l'intérieur, des boutiques de tous genres bordaient une allée centrale un peu étroite pour un centre commercial. Au bout du passage, deux gardes en uniforme flanquaient l'entrée d'un ascenseur dans lequel la Canadienne ne put pénétrer qu'après avoir exposé l'objet de sa visite et produit les documents relatifs à son identité.

Le sixième étage était réservé à l'usage exclusif de l'ambassade canadienne en Côte-d'Ivoire. Une minuscule salle d'entrée servait de vestibule d'attente où une pré-entrevue permettait aux visiteurs et à certains membres du personnel diplomatique une première rencontre et une connaissance sommaire les uns des autres. Cette première étape franchie, Andréanne fut amenée dans une autre salle, plus grande celle-là. D'emblée, Madame Moisan, la secrétaire du premier consul, fut cordiale et accueillante. Grande, mince, un peu condescendante, habillée d'un tailleur léger vu la chaleur ambiante, elle vint s'asseoir à un bureau et s'adressa sans ambages à son invitée.

– Vous vous doutez bien pourquoi on vous a fait venir ici, lui dit-elle en ouvrant un porte-documents sur le bureau auquel elle prit place à son tour.

– J'ai enfin reçu mon argent ? risqua l'invitée avec un demi-sourire.

– Vous avez tout à fait raison, poursuivit la secrétaire du consul, prise de court par la perspicacité de cette Québécoise à la mine encore tirée par ses récentes bévues. Mais cette bonne nouvelle s'accompagne d'une autre moins reluisante.

– C'est-à-dire ? fit Andréanne d'une voix hésitante, l'expression chargée d'appréhension.

– Vos sœurs de St-Gérard-des-Laurentides ont le souci de votre sécurité. Leur prudente décision de pourvoir à vos besoins s'accompagne d'une mesure restrictive témoignant d'une sagesse louable.

– Qu'est-ce à dire ?

– Nous avons le mandat de gérer ce portefeuille ici, à l'ambassade. Les montants qui vous seront alloués chaque semaine le seront à partir de dépenses jugées raisonnables et sur présentation de factures.

À ces mots, Andréanne bondit de son siège avec une expression de révolte sur le visage.

– À vous entendre, on dirait que mes sœurs sont en train de me faire la charité à même leurs propres épargnes. Mais, nom de Dieu, c'est mon argent. Me prend-on pour une enfant ? Elles croient sans doute que j'ai perdu la raison parce que je ne fais pas les choses comme elles. Eh bien, je vais vous le dire moi, Madame Moisan ; je suis absolument saine d'esprit et je tiens à ce qu'on me remette mon argent au complet et sur-le-champ.

– Je regrette, répondit l'agente d'une voix ferme et sur un ton catégorique. Les ordres sont les ordres et nous devons nous en tenir aux consignes. Vous trouverez dans cette enveloppe cent dollars en monnaie ivoirienne ; de quoi vivre largement pendant la semaine à venir. Ce montant vous suffirait pour un mois, mais nous comprenons que vous avez accumulé quelques redevances envers votre entourage au cours des derniers jours.

– Je me plaindrai au consul.

– Ça ne vous servirait à rien, c'est lui qui a pris cet engagement. Voici d'ailleurs l'entente en question, signée de sa propre main. Cette copie est pour vous. Je n'y puis strictement rien, croyez-moi.

L'invitée se leva et, le visage rouge d'indignation, saisit l'enveloppe en prenant congé de l'agente consulaire. En se dirigeant vers la sortie de la salle, elle remarqua un carreau vitré sur un mur latéral et crut y distinguer le reflet d'une lentille qui lui rappela étrangement celle d'une caméra de surveillance vidéo. Elle s'arrêta un bref moment et se retourna vers son hôtesse, qui la regardait s'en aller avec l'indifférence et le calme d'une fonctionnaire dont le travail est terminé.

Dans les jours qui suivirent la visite à l'ambassade canadienne à Abidjan, les séances d'enregistrement au Studio Bassami prirent leur envol. Andréanne et Muktar s'y rendaient en taxi de façon régulière. Le premier technicien avait conseillé à Muktar d'embaucher une chanteuse pour faire du remplissage de voix dans l'enregistrement de certaines pièces. La candidate avait été sélectionnée et la première pièce musicale fut complétée en une semaine.

On aborda ensuite la deuxième pièce qui, elle, présentait quelque difficulté dans le registre des sons. Mais, avec l'heureux déroulement de la première partie, l'équipe se sentait le vent en poupe et les prévisions, quant au temps requis pour compléter le projet, allaient de quatre à cinq semaines.

La relation entre les membres de l'équipe était amicale et les séances de travail se déroulaient dans un esprit de cordialité qui ne tarda pas à déboucher sur une atmosphère de bon aloi. Le premier technicien, Rico, avait même cessé de travailler le soir dans un club, comme chanteur et accompagnateur de musique, pour consacrer toutes ses énergies à la tâche chez Bassami. Un peu bohème, cet Ivoirien devait se battre pour la survie, comme la grande majorité de ses congénères dans un pays où chacun était constamment à la recherche de revenus. Les salaires étant très bas, il fallait souvent occuper deux ou trois emplois à la fois. Rico était un type chaleureux, amical, jasant, qui cherchait à établir de bonnes relations avec les clients de son patron. Il voulait laisser sa signature sur cette œuvre dont la réussite technique assurerait également sa réussite sur le palmarès local.

À la troisième semaine d'enregistrement, Sami, le patron de la boîte, perdit patience et avisa Muktar qu'il ne pourrait continuer l'enregistrement si on ne lui réglait pas la note au complet.

– On fonctionne à plein régime exclusivement sur votre projet et il me faut du liquide pour couvrir les salaires et autres dépenses.

– Très bien, Monsieur Sami, avait acquiescé le chanteur camerounais. Je verrai ce que nous pouvons faire ce soir même.

Muktar savait ce qui se passait à l'ambassade et cherchait un moyen de débloquer l'argent d'Andréanne. Aussi resta-t-il silencieux tout au long du souper une fois de retour à l'hôtel du Nord. Andréanne pensa dérider sa mine soucieuse pendant la soirée. À peine lui accorda-t-il une amorce de sourire avant de replonger pour de bon dans son air songeur. Les caresses, les tentatives de conversation, rien n'y fit.

– Mais que diable as-tu fait de ta langue ? lui dit-elle, à bout de ressources. Je ne te reconnais plus. C'est quoi ton problème ?

– Eh bien voilà, avoua-t-il d'une voix lente et mesurée, notre projet d'enregistrement va tomber à l'eau si on ne trouve pas deux mille cinq cents dollars rapidement pour terminer le travail.

– Mon argent est gelé à l'ambassade. Il n'y a rien à faire. J'aimerais plus que tout au monde t'apporter ce montant, mais que veux-tu...

– Ma princesse, tu es mon seul recours. On ne va pas abandonner alors qu'on est si près du but. Il faut que tu fasses quelque chose. Tu dois trouver un moyen de sortir cet argent, et pas plus tard que demain.

– Mais j'ai déjà essayé. Ils ont un engagement envers ma famille. Ils disent que si je dépense tout mon argent, c'est la misère qui m'attend.

– Mais tu sais bien que nous allons faire une fortune avec notre musique. Tu le sais, n'est-ce pas ?

– Oui, je te crois, mais elles, là-bas, ne le savent pas. Elles n'ont pas confiance. Elles croient que les chances de succès sont très minces et disent que c'est jeter mes économies par la fenêtre que de tout risquer dans une telle aventure.

– Mais toi, tu as confiance en mon talent de chanteur. Tu n'as pas de doute sur le succès monstre qui nous attend, n'est-ce pas ? Allons, Andréanne, il est désormais trop tard pour reculer. Il faut mettre le paquet à l'ambassade, fit-il, les yeux étincelants de chaleur et de conviction.

Elle le regarda, attendrie, sachant qu'elle n'aurait pas la force, ni le courage et encore moins la volonté de lui refuser ce qu'il avait rêvé et souhaité plus que tout au monde : être connu et aimé pour ses chansons, atteindre la célébrité. Elle pensa que cet argent était bien peu pour assurer la réussite de celui qu'elle aimait désormais de façon inconditionnelle.

Une petite voix la rappela un bref instant à la prudence. Qu'arrivera-t-il si le produit fini ne donne pas le succès escompté ou encore si, pour une raison quelconque, on n'arrive pas à le mettre sur le marché ? Une fois l'enregistrement terminé, il restait l'édition. Combien coûterait cette étape ? Combien de copies ferait-on ? Et la publicité ? La distribution ? Il y a parfois loin de la coupe aux lèvres, dit un proverbe qu'elle se rappelait avoir entendu quelque part.

Par contre, cet argent pourrait leur assurer à elle et à lui un an ou deux, peut-être même trois, de vie modeste mais heureuse, dans ce pays où les gens vivent de presque rien. Et après, on verrait bien. Le temps arrange les choses. Il faut avoir confiance en son étoile. Elle fut sur le point de lui avouer ses craintes et de l'inviter à choisir une vie plus simple, dans un modeste logis ou dans un village de brousse où ils couleraient des jours heureux.

Elle savait aussi qu'il serait très déçu et malheureux s'il était contraint à abandonner son projet, à renoncer à son rêve. Il ne lui pardonnerait pas ce manque de confiance, cette trahison. Il l'abandonnerait sans doute... À la pensée de perdre son précieux bonheur, elle eut un frisson qui la secoua dans tout son être. Non, il ne fallait pas risquer de perdre son amour. Comment pourrait-elle survivre sans celui qui était tout pour elle? Avait-elle le choix, à présent? Cette idée à elle seule lui enlevait tout doute sur la marche à suivre. D'ailleurs, elle y avait songé depuis son dernier appel à Milaine, qui la mettait en garde contre la possibilité de se faire extorquer son patrimoine. Si elle était un jour au pied du mur et avait à choisir entre la sécurité matérielle ou affective, c'est cette dernière qui l'emporterait. Il fallait jouer le tout pour le tout. Les demi-mesures ne faisaient pas partie de sa nature, avait-elle entendu Aline lui répéter à quelques reprises. D'une voix sereine, elle dévoila sa décision:

– J'aurai ce montant en main dès demain, fit-elle avec un sourire qui cachait à peine sa détermination.

Joyeux comme un gamin la veille de Noël, il la prit dans ses bras et lui fit l'amour avec toute l'ardeur et la fougue de ses vingt-six ans...

Il fallait réussir à convaincre les membres de l'ambassade, pensait Andréanne dans le taxi qui l'amenait à son rendez-vous. La nuit lui avait apporté une détermination accrue, et avait affermi sa décision de parvenir à ce but. Elle avait soupesé différents scénarios et, au moment où on la conduisait à la salle d'audience du cinquième étage, celui réservé aux activités consulaires pour la Côte-d'Ivoire, elle fignolait les effets oratoires qu'elle avait mis au point et qui, à son avis, lui donnaient l'assurance d'en arriver à ses fins. Un fond de nervosité mal contenue subsistait cependant quelque part dans le rouage de sa mise en scène. Elle songea aux multiples conséquences de sa décision et, une fois de plus, elle conclut qu'elle verrait bien une fois rendue là.

– Bonjour Madame Leclerc, la salua la secrétaire du consul en se glissant en douce par une porte latérale. Vous semblez avoir bonne mine, aujourd'hui. On dirait que l'Afrique vous donne des couleurs. Que puis-je faire pour vous ?

– C'est au sujet de mon argent. Il me faut deux mille cinq cents dollars tout de suite.

– Impossible ! Les ententes avec votre famille sont formelles. On vous donne déjà ce qu'il faut pour subvenir amplement à vos besoins. On ne peut vous accorder rien de plus.

Andréanne sentit des chaleurs lui monter aux joues. Comment pouvait-on se jouer d'elle à ce point ? Pour donner plus de force à son indignation, elle laissa monter en elle le souvenir refoulé des refus qu'elle avait essuyés dans ses trente-sept années d'existence : ceux de son enfance avec le cortège de ses interdits ; ceux qu'elle avait essuyés avec Joseph Albert, la violence émotionnelle de sa vie conjugale, le « burn-out » émotionnel qui l'avait lancée dans son périple africain, les épreuves de sa fuite à travers le Sahara, enfin, le risque de perdre ce qui l'avait sauvée, ce bonheur qu'elle ne pouvait se permettre de laisser aller, cet amour ineffable qui la portait au septième ciel et auquel elle tenait plus que tout ce qu'elle pouvait imaginer. Ici même, dans ces bureaux gérés par le gouvernement de son propre pays, on détenait, à même son budget personnel, le pouvoir de vie et de mort sur elle. Et c'était cette dernière perspective qu'on avait choisie pour elle. La révolte monta en elle. Rouge de colère, elle se leva et fonça sur la secrétaire prise de court, qui resta figée sur son fauteuil.

– Comment osez-vous bafouer ainsi les droits d'un être humain, rugit-elle, les droits fondamentaux d'une citoyenne canadienne libre et en possession de toutes ses facultés ? On se croirait de retour au Moyen-Âge.

– Mais il s'agit de votre famille. On cherche à vous protéger, c'est tout !

– Ma famille, ma famille. De quel droit se croit-elle en mesure de décider à ma place ? Montrez-moi un document stipulant mon inaptitude à gérer ma vie, mon budget, mes propres économies. Nom de Dieu, mais pour qui se prend-elle, ma famille ? On me prend pour quoi, alors ; on usurpe mes droits et vous jouez le jeu de la complicité en plus ? Eh bien, je vais vous en faire voir, moi. J'exige de voir le consul sur-le-champ.

– Madame, calmez-vous, exhorta la secrétaire devenue livide sous le flot des récriminations. Le consul ne rencontre que les membres officiels d'une délégation gouvernementale. Et encore, ces entrevues font l'objet d'une planification dans le cadre d'un projet élaboré avec soin.

– Eh bien, j'ai l'intention de récupérer mon argent et j'y ai songé avec tout le soin et l'attention qu'exigent les besoins qui en font l'objet. Sachez également, ma chère dame, que je ne quitterai ces lieux que lorsque l'on m'aura remis cette somme en mains propres, et pas avant.

– Soyez assurée que je n'y puis strictement rien, réitéra l'employée, résignée à endurer les semonces jusqu'à la fin, mais d'un air déterminé à ne pas céder sur la conduite à tenir.

– Je vais contester cette décision injuste et je vous poursuivrai en justice pour lésion et atteinte aux droits de la personne, les miens. De plus, je vais informer les médias canadiens par Internet de vos procédures douteuses et injustifiées.

– Je me charge d'en informer mes supérieurs, obtempéra la fonctionnaire, se levant d'un mouvement nerveux et dissimulant difficilement ses craintes d'un éclaboussement fâcheux. Attendez-moi quelques instants.

– N'ayez crainte, coupa Andréanne, consciente du momentum en sa faveur. Je n'ai nullement l'intention de vous fausser compagnie sans qu'on m'ait remis ce qui m'appartient... !

Deux semaines plus tard, le méga-projet d'enregistrement d'un premier disque du chanteur Muktar était en bonne voie de réalisation. L'argent récupéré à l'ambassade par Andréanne avait apporté un grand soulagement à plusieurs niveaux. D'abord, on avait réglé la note de l'hôtel pour quatre autres semaines, soit le temps prévu pour mener à terme le projet en question. Puis, le montant requis par le studio de musique Bassami ayant été versé en totalité, l'équipe de production s'était remise à la tâche.

Mais voilà que Sami avait dû quitter Abidjan par affaires et séjournait en France pour quelques jours. Entre-temps, Dara avait été investie de tous les pouvoirs de son fils et assumait, avec un sérieux de tous les instants, les prérogatives patronales de l'entreprise. Son sens des affaires commandait le respect et lui méritait l'estime de chacun, mais ses connaissances en musique, à peu près nulles, apportaient, dans ses décisions, plus de confusion et de mécontentement que si elle s'était abstenue d'intervenir dans l'arrangement de certaines partitions musicales. Les discussions dans ce sens et les retards qui en découlaient semaient l'irritation et le sentiment de tourner en rond dans la démarche en cours.

Lorsque Sami fut enfin de retour, presque une semaine de temps et de salaire avait été engloutie en pure perte. Les coûts à prévoir ne seraient plus les mêmes et le budget déjà restreint suffirait-il pour mener le projet à terme ? C'est dans ces circonstances peu rassurantes qu'Andréanne passa une fois de plus par les épreuves de la maladie.

Le 20 juin au matin, alors qu'elle se rendait à pied, pour étirer le budget, avec Muktar au studio Bassami, une faiblesse s'empara d'elle et le Camerounais manqua de rapidité pour la saisir avant qu'elle ne s'écroule soudain sur la chaussée. Elle s'affaissa de tout son long et atterrit visage contre terre. Il resta cloué de surprise pendant quelques secondes avant de réagir et de voler à son secours.

– Qu'est-ce qui t'arrive, ma princesse? s'écria-t-il en la tournant sur le dos et en lui soulevant la tête avec précaution.

Avec le sang qui maculait son visage, il semblait que la vie venait de se retirer de ce corps inerte. Muktar la prit dans ses bras, la souleva de terre et la déposa sur un banc d'autobus près de là. Il lui tâta le pouls et constata avec un certain soulagement que la vie palpitait encore au fond de cet être bien-aimé. Qu'est-ce qu'il lui arrive? pensa-t-il. Comme un soldat au champ de bataille, elle n'avait donné aucun signe de malaise avant de s'effondrer. Il lui vint à l'idée qu'elle était peut-être prise du cœur ou enceinte, quoique son pouls semblait normal, sa respiration également; mais ses autres facultés semblaient éteintes. Aucune réaction au toucher et au son de voix. Une fois de plus, il s'approcha d'elle et lui dit doucement:

– Andréanne, si tu m'entends, bouge un doigt.

Mais rien n'allait plus. Il regarda autour de lui et aperçut un taxi roulant dans leur direction. Au moment où ils atteignirent l'hôtel du Nord, Andréanne revint momentanément à elle.

– Oh, ma tête! gémit-elle.

– Bon te voilà, fit-il, soulagé. Tu m'as foutu une de ces trouilles. Peux-tu marcher?

Elle sortit de la voiture en titubant, comme sous l'effet d'un puissant sédatif.

– J'ai mal partout, fit-elle en avançant péniblement vers l'entrée de l'hôtel.

Driso, qui les avait vus arriver, constata que quelque chose ne tournait pas rond. Il vint prêter main-forte à Muktar et l'étrangère fut bientôt à l'étage, étendue sur son lit où on l'exhorta à se reposer, le temps de panser ses plaies au visage et d'évaluer la situation. Driso retourna à son poste à l'entrée de l'hôtel, et le Camerounais resta pensif au chevet de celle qu'il aimait.

D'où venait ce mal subit ? pensait-il. Ces douleurs aux muscles, au cou, ce mal de tête violent ? Avait-elle contracté un virus contre lequel son système immunitaire ne pouvait lutter ? S'agissait-il d'une rechute de la maladie qui l'avait secouée dans sa traversée du désert ? Driso avait finalement envoyé une servante porter une tisane au chevet de la malade, qui l'ingurgita à petites doses mais n'en fut pas moins, au bout d'une heure, aux prises avec des bouillons de fièvre, accompagnés d'étourdissements.

– C'est l'hôpital qu'il te faut, lui dit Muktar.

Mais elle n'était déjà plus en état de répondre ou de donner son avis. Il descendit à la réception, où il enjoignit Driso de héler un taxi. À son retour au chevet de la malade, celle-ci était aux prises avec d'incontrôlables frissons qui la faisaient grelotter sans répit.

– J'ai mal au cœur, fit-elle d'une voix rauque. Elle était en effet secouée par une série de palpitations qui lui faisaient anticiper une défaillance cardiaque. On la conduisit rapidement à la clinique, genre de dispensaire à un étage dirigé par un médecin ivoirien, dans un quartier peu éloigné du centre-ville. Les chambres y étaient exiguës et l'ensemble des installations y portaient la marque d'une modestie que les Occidentaux auraient trouvée des plus élémentaire. Cependant, un service de base essentiel répondait aux besoins de la clientèle du Docteur Kirlo, médecin traitant et omnipraticien.

Muktar avait dû rassurer la réceptionniste et le médecin lui-même quant à la solvabilité de la nouvelle patiente. Une certaine somme d'argent devait être apportée dans le courant de la journée même, à défaut de quoi on remettrait la cliente à la rue.

Le docteur Kirlo diagnostiqua rapidement un problème neurologique grave. Il s'agissait de paludisme, accompagné d'une forte température. Muktar se sentit ébranlé. Il arpentait le hall d'entrée avec un sentiment d'impuissance et de révolte, et l'espoir recula de plus en plus. Lorsqu'il entendit le médecin lui annoncer que sa compagne était en danger de mort, il éclata en sanglots en réalisant qu'une fois de plus, celle qu'il avait été chercher au-delà du désert menaçait de lui tirer sa révérence. Si près du but, pensa-t-il. Si près de la réussite de son projet musical. Son rêve de partager sa vie avec une jolie Blanche s'écroulait. Adieu l'Amérique, et sans doute aussi la célébrité. Il fallait la tirer une fois de plus de l'impasse.

– A-t-on des chances de la sauver ? demanda-t-il au docteur Kirlo comme s'il s'agissait de sa propre vie. Je vous en prie, faites l'impossible. Il faut qu'elle vive.

– Nous allons lui administrer un antidote contre le paludisme, et d'ici une heure sa fièvre devrait tomber. Si son état ne se stabilise pas d'ici là, nous serons tenus de lui injecter une dose plus forte, ce qui représentera des risques d'effets secondaires majeurs.

L'infirmière lui introduisit une seringue dans l'avant-bras mais dut se reprendre à trois ou quatre reprises, car Andréanne présentait un cas de veines fuyantes inusité. Le médecin prit la relève mais n'arriva pas à injecter la dose de médicament, ce qui augmenta la nervosité de la patiente. Un coup d'œil circulaire lui renvoya l'image d'appareils désuets, ce qui ne contribua guère à la rassurer.

Une seconde infirmière arrivée sur les lieux pour remplacer l'autre dans son quart de travail eut plus de succès. Comme par miracle, elle coinça une veine au premier essai et injecta l'antidote, au grand soulagement de tous. Fort heureusement, la fièvre diminua au bout d'une heure. Les tremblements cessèrent et la convalescente tomba dans un profond sommeil.

L'antidote et le repos remirent la patiente en état de converser avec lucidité. Le médecin vint, lui-même, monter le dossier de sa nouvelle patiente. Ses questions lui dévoilèrent les épreuves récentes de cette dernière et il lui conseilla, en professionnel de la santé qui allie l'équilibre de l'esprit à celui de la composante physique de l'individu, de prendre mentalement du recul par rapport aux événements de son récent périple. Le « burn-out » émotif d'une vie conjugale tissée de brutalité verbale continue, le recours désespéré, soit tenter sa chance dans le monde insolite d'un autre continent, le risque de refaire sa vie avec un inconnu qui n'offrait que des mots en garantie de ses compétences et de sa bonne foi, une traversée parsemée de malheurs et de dangers multiples, la maladie et les privations du désert, sans compter la lutte incessante contre l'insécurité financière, avaient miné cette nature forte et l'avaient plongée dans un état de choc qui l'empêchait de refaire ses énergies. Elle devait tirer un voile opaque sur tout ce passé de malheur et recommencer à neuf. L'oubli total, une espèce d'amnésie sur le passé devait obnubiler l'état de choc inconscient dont souffrait la patiente. Rien de moins. Il fallait tout oublier, et au plus tôt.

Après cet exposé épuisant, Andréanne retomba dans un sommeil profond et réparateur. Le médecin se tourna vers Muktar, à ses côtés, et lui fit quelques recommandations.

– Elle en a pour quelques jours entre ciel et terre. Le repos complet est sa meilleure planche de salut.

Au bout de quatre jours entre vie et trépas, Andréanne reprit ses esprits. Muktar avait reçu un appel de l'Ambassade canadienne. Il s'agissait d'une vérification de routine exécutée à la demande de la famille. Driso informa la secrétaire du consul de l'état de santé de sa cliente, et l'Ambassade dépêcha sur-le-champ l'infirmière canadienne attitrée au corps diplomatique en place.

Celle-ci arriva à la clinique du docteur Kirlo en coup de vent. Grande, mince, l'air sévère, en tenue officielle, elle était visiblement irritée qu'on l'ait fait revenir prématurément de ses vacances au bord de la mer. Elle contourna, d'un air circonspect, Muktar étendu par terre sur son tapis, et s'approcha du lit où reposait la patiente dans un état de demi-sommeil. Lorsque celle-ci sentit sa présence, elle ouvrit les yeux et aperçut sa silhouette comme dans les brumes d'un rêve. L'image prit peu à peu du relief.

– Vous semblez mal en point, fit l'apparition dont le regard scrutateur sondait la physionomie de la malade. Que vous est-il arrivé au visage ? On vous a battue ?

Elle porta son attention sur le Camerounais qui venait de la rejoindre. Son attention allait de l'un à l'autre, ne sachant d'où viendrait la réponse. Elle avait pris connaissance du dossier de façon sommaire avant son arrivée à la clinique.

– Je suis tombée dans la rue, affirma Andréanne qui était revenue suffisamment à elle pour se souvenir et raconter ce qui lui était arrivé.

L'employée de l'ambassade prit des notes en vue d'un rapport officiel, et remonta à bord de la limousine qui l'emporta dans la direction d'où elle était venue. Sa déposition recommandait entre autres que la malade soit transférée dans les locaux diplomatiques affectés aux soins de santé du personnel consulaire. Andréanne refusa l'invitation dans la crainte d'offenser le docteur Kirlo et son personnel, avec lesquels des liens d'amitié s'étaient développés au cours de ses périodes de lucidité. De plus, elle était consciente d'un fait qui pouvait chambarder et faire basculer toute son existence. L'ambassade cherchait probablement un moyen de la contraindre à retourner au Canada. Voilà en quoi consistait sa crainte majeure. Elle ne désirait, à aucun prix, se sentir coincée et se voir obligée de quitter celui pour lequel elle aurait à son tour donné sa vie. Il fallait coûte que coûte déjouer les plans de ceux et celles qui souhaitaient son retour au pays. N'en avait-elle pas assez de se battre pour sa vie, encore fallait-il qu'elle lutte pour sauvegarder son bonheur ! L'ironie du sort voulait qu'au nom de la sécurité, au nom de l'amour, on lui enlève son amour. Ne pouvait-on la laisser en paix ? pensa-t-elle de guerre lasse, avant de sombrer à nouveau dans un sommeil comateux.

Au début de la deuxième semaine de juillet, Andréanne était sur pied depuis quelque temps et son séjour à la clinique ivoirienne du docteur Kirlo n'était déjà plus qu'un souvenir. Sa remontée s'était faite tout à coup et de façon assez rapide. Les coûts de son séjour en soins cliniques avaient fait une énorme brèche dans son budget et il n'était désormais plus possible d'assumer les dépenses de résidence à l'hôtel du Nord. Il fallait trouver autre chose.

Les sept semaines écoulées depuis l'arrivée du couple à Abidjan avaient suffi pour réaliser l'enregistrement musical nécessaire à la production d'un disque compact, au studio Bassami. Mais il restait l'édition à compléter, c'est-à-dire le formatage du produit final et sa mise en marché. Là aussi, le budget donnait des signes d'essoufflement.

Voilà que les pires craintes, ce qu'on aurait jamais osé reconnaître comme étant possible, commençaient à prendre du relief dans la réalité d'un vécu déjà lourd de défis. La famille aurait donc eu raison d'imaginer des scénarios apocalyptiques quant à leur projet ? Malgré la chaleur suffocante de cet après-midi, un frisson parcourut l'échine d'Andréanne. Il ne fallait à aucun prix donner raison à ces prédictions défaitistes. Il ne serait pas dit que ce projet grandiose avorterait avant même d'avoir vu le jour.

– Il semble, de toute évidence, constata celle-ci, que le gîte à l'hôtel n'est plus à notre portée. Il faut partir de là avant qu'on nous invite à le faire.

– J'ai gardé le contact avec nos deux Samaritains sénégalais, répondit Muktar, et je crois qu'ils pourraient nous dépanner à leur résidence du Plateau. Fantoche a accepté de travailler à l'édition de notre C.D. La distance entre les deux endroits représente une simple marche d'une demi-heure.

– Tu as vraiment réponse à tout, Muktar. Je me demande parfois où tu trouves toutes ces solutions. Je t'avoue cependant qu'avec ce qu'il nous reste d'économies, il m'arrive de rester perplexe. De quoi allons-nous vivre ?

Une ombre passa sur son sourire où la reconnaissance et l'optimisme occupaient une bonne part du terrain. Il la regarda intensément, comme il en avait l'habitude lorsqu'il avait un point à passer, un argument de valeur à apporter, une démonstration à faire dans laquelle convaincre l'autre était d'une importance ultime.

– Ma belle princesse, lui dit-il, ta confiance me touche. Je n'ai pas réponse à tout, du moins pas instantanément. Mais lorsque j'en cherche une, il m'arrive de trouver des options dont la meilleure offre parmi les possibilités de solution intéressante en regard du besoin qui l'a fait naître. Je dois aussi t'avouer que ton amour est ma plus grande source d'inspiration. Tu es mon guide, mon tremplin vers la réussite qui sera nôtre, malgré les embûches sur notre route pour y parvenir. Nouma et Djibo nous accueilleront pour quelques jours ; ensuite, nous verrons.

Le bref séjour chez les deux Sénégalais rencontrés lors de la traversée du désert avait sonné l'appel à un changement de cap dans le déroulement du projet musical en cours. Il n'était désormais plus question de s'approprier les services du Studio Bassami et de son personnel, Sami ayant flairé l'épuisement des ressources financières de la Blanche. En homme d'affaires avisé, il refusa les demandes du Camerounais à lui faire crédit, conscient que la réussite musicale représentait du temps et un risque qu'il ne pouvait se permettre de courir pour régler les dépenses et la bonne marche de son entreprise. À court d'alternatives, Muktar s'en remit à Fantoche, qui accepta d'éditer le C.D. chez lui, avec ses instruments de mixage personnel, et à crédit.

À la résidence des Sénégalais, les hôtes agirent en bons Samaritains, mais l'épouse de Nouma trouva anormal d'accueillir une Blanche et de lui offrir le gîte de façon tout à fait gratuite. Elle avait remarqué les bijoux que portait celle-ci et avisa Muktar que ces signes de richesse constituaient, en eux-mêmes, des garanties suffisantes de leur solvabilité. À défaut d'argent liquide, on n'aurait qu'à vendre ces objets de valeur et à vivre de ces largesses.

Andréanne commença par s'y opposer, alléguant qu'on avait déjà liquidé de précieux souvenirs pour traverser le Sahara, mais ce que femme veut ... et l'épouse de Nouma se voyait déjà parée du collier et du bracelet en or d'Andréanne. Elle y mit son pouvoir de persuasion et finit par avoir gain de cause. Le collier y passa d'abord et, au bout de quelques jours, ce fut au tour du bracelet.

Après deux semaines à peine de résidence chez les Sénégalais, la pression était à nouveau au menu du jour pour obtenir autre chose. Cette autre chose, que Muktar faisait miroiter sous forme d'argent à venir, ne semblait pas satisfaire l'hôtesse, qui exigeait un règlement plus immédiat, à défaut de quoi la rue leur ouvrait toutes grandes ses portes. Andréanne se sentait visée, harcelée, menacée. Ses énergies la quittaient encore une fois sous le constat du peu de valeur obtenue en échange de ses précieux bijoux et en raison de l'ambiance néfaste que leur réservait le sort. Elle prit l'habitude de quitter sa nouvelle résidence tôt le matin pour consacrer sa journée à de longues marches dans ce quartier d'Abidjan.

Par une matinée où elle faisait ainsi une randonnée à travers les rues et où le soleil de la fin de juillet dardait ses rayons sur le Plateau, Andréanne, exténuée par tant de chaleur, aperçut le toit d'une église dépassant un talus de palmiers au fond d'une avenue peu fréquentée. Elle sentit le besoin de s'y blottir pour y trouver ombrage, repos et ressourcement. Une porte latérale entrouverte l'invitait à s'y faufiler, à l'abri des regards. Il s'agissait d'un temple chrétien, car une croix décorait le mur frontispice où une table, un genre d'autel, était recouverte d'une nappe blanche et prête sans doute pour un rituel d'offrande. Des colonnes soutenaient la voûte de l'édifice, qui surplombait deux rangées de vitraux jetant sur les rangées de bancs une lumière tamisée.

L'étrangère s'installa sur un siège et jeta un coup d'œil circulaire. L'ambiance était au recueillement. Elle n'avait jamais été une fervente de spiritualité, mais sa croyance en l'au-delà et son habitude de se confier à une présence intérieure, qui lui avait souvent permis de faire la paix avec elle-même, l'amena à faire le point sur sa situation. Son passé et son présent se donnaient la main pour aller rejoindre une silhouette encore un peu floue à l'horizon, son avenir. Ce dernier avait le visage voilé et semblait cheminer sur un sentier qui se dérobait sous ses pas. Elle implora l'aide de cette force qui, dans le passé, avait été son soutien.

Sa réflexion se heurta à un bruit de porte et de pas venu soudain rompre et envahir le silence dans lequel baignait le calme ambiant. Un Ivoirien dans la quarantaine fit irruption dans la nef, les bras chargés de fleurs qu'il plaça ici et là autour de la table du célébrant. De taille moyenne et vêtu d'un simple tailleur, il semblait joyeux et vaquait à ses tâches de sacristain de façon naturelle. Lorsqu'il aperçut Andréanne, il se dirigea vers elle et lui tendit la main.

– Je suis Touri, fit-il tout bonnement. Bienvenue en ces lieux.

– Andréanne, répondit la nouvelle venue avec déférence. Heureuse de vous connaître. Vous êtes pasteur ?

– Non, simple administrateur de cette église et préposé à son entretien. Vous êtes de quel endroit ?

L'étrangère exposa une partie de son périple en Afrique après avoir décrit son lieu de provenance, ses difficultés présentes. Touri s'avéra un communicateur sympathique et, les jours qui suivirent, ils se rencontrèrent à nouveau dans ce lieu où une amitié prit son essor. Voyant dans quel bourbier la nouvelle venue en Afrique se trouvait, il lui offrit le gîte, à elle et à son compagnon. « Ma maison est modeste, lui avait-il déclaré, mais l'exiguïté des lieux vous servira de façon transitoire, le temps de vous relocaliser ailleurs. »

Andréanne avait pris cette solution de rechange pour une bouée de sauvetage. Muktar y voyait aussi une excellente occasion de se rapprocher de Fantoche, qui travaillait à présent tous les soirs sur l'édition de son C.D. Touri et sa compagne s'avérèrent des hôtes excellents, mais il avait été convenu que leur séjour chez eux ne serait que de courte durée. Comment trouver un autre endroit où séjourner, en attendant la réalisation du projet musical, et dans l'état de dénuement où se trouvaient les invités ? Muktar avait beau chercher de nouveaux contacts et faire miroiter des rentrées d'argent imminentes de la vente de son C.D., les invitations tardaient à se manifester.

Au bout de trois semaines chez Touri, ce dernier présenta Andréanne à un ami d'une autre église, située dans le quartier voisin du Plateau. Le pasteur Antoine, un Ivoirien de couleur ambrée au sourire bienveillant, écouta avec intérêt les propos de la Québécoise. Cet être magnanime au cœur généreux ne put rester insensible aux besoins de son interlocutrice et lui promit son soutien. Il avait de nombreux contacts et verrait ce qu'il pouvait faire.

Dans les jours qui suivirent cette rencontre, Antoine se tint au courant de la situation et envoya de la nourriture et un peu d'argent à Touri, pour permettre au couple en détresse de séjourner quelques jours de plus chez ce dernier en attendant de trouver une solution de rechange. Puis, un événement inattendu vint redonner espoir à Andréanne. Le pasteur connaissait une autre Québécoise qui séjournait à Abidjan. Il ne l'avait jamais rencontrée, mais un ami lui en avait parlé. Elle œuvrait pour une firme canadienne en Afrique et il réussit a établir un contact avec cette agente du nom de Louise Besset.

Louise alla aux informations à l'ambassade et découvrit le dossier consulaire au sujet d'Andréanne et les doutes entretenus à l'endroit de son compagnon. Elle se présenta chez Touri et s'entretint longuement avec sa congénère. Grande, mince et le visage un peu crispé, Madame Besset ne mit pas longtemps à découvrir que les deux amants n'avaient pas sanctionné leur union par une cérémonie ou un contrat de mariage, contrairement à ce qu'indiquait le dossier consulaire. Plus soucieuse de rectifier les faits que d'aider Andréanne, elle retourna à l'ambassade et en informa la secrétaire du consul qui, forte de ces nouvelles données, ajouta cette pièce au dossier, dans le but de régler l'affaire et de donner satisfaction plus rapidement aux requêtes familiales.

Dans le pire des scénarios, on pourrait rapatrier la visiteuse récalcitrante de force, envisageait la direction du consulat. Dans ce cas, il faudrait avoir recours à une pirouette diplomatique impliquant son expulsion du pays par l'État Ivoirien et encore, on s'exposait à une poursuite en vertu des droits de la personne. Inutile se songer à une extradition car, dans les circonstances, il aurait fallu qu'elle ait commis un acte répréhensible au Canada ; or Andréanne avait un casier vierge. Il valait mieux attendre le moment favorable, et ainsi obtenir l'assentiment du sujet pour son retour au pays. « On cueillera le fruit lorsqu'il sera mûr », avait-on conclu en haut lieu.

De son côté, Andréanne était plus que consciente de cette course contre la montre. Ses énergies et sa forme, physique aussi bien que mentale, étaient proportionnelles à son désir de remporter la victoire. Certains jours, ses espoirs subissaient des revers et, par ces fissures, s'envolaient ses énergies de même que sa volonté de vaincre. Muktar était, quant à lui, inébranlable dans son désir et sa certitude de mener son projet à terme. L'effet d'emportement que générait cette attitude chez sa compagne n'était pas étranger à une remontée inattendue à travers ses moments de rechute. Il était pour elle son second souffle, la main qui la remontait à la surface lorsqu'elle s'apprêtait à sombrer.

Une fois le moment venu de quitter le domicile de Touri, le pasteur Antoine accueillit le couple dans sa propre demeure. La situation n'était encore que temporaire mais, entre-temps, la production musicale avançait. De son côté, malgré son dévouement à la cause et sa volonté de faire crédit à Muktar,

Fantoche exigeait un montant en argent ivoirien équivalant à cent dollars canadiens, une somme assez rondelette dans ce pays, compte tenu surtout de la situation financière du Camerounais.

Depuis peu, et dans le but de montrer sa reconnaissance à leur bienfaiteur, Muktar avait pris l'initiative d'aller chanter aux offices religieux célébrés par Antoine. S'accompagnant sur sa guitare, il avait insufflé un regain de ferveur à la petite communauté des fidèles se réunissant autour de leur pasteur. Ce dernier en éprouvait une satisfaction tout à fait légitime. Aussi fut-il favorable à l'offre du chanteur de vendre son instrument musical à la communauté pour satisfaire aux exigences de Fantoche. Antoine informa ses ouailles que les prochaines quêtes à l'église serviraient à l'achat de la guitare, un instrument désormais nécessaire à l'exercice du culte. Chacun participerait par ailleurs à une bonne œuvre : celle de tirer d'un mauvais pas un couple dans le besoin.

Septembre était déjà là et les deux semaines passées chez le pasteur Antoine avaient apporté leur lot de réconfort et d'expériences enrichissantes. Parmi les nombreux contacts de ce dernier, se trouvaient des personnages haut placés, des gens œuvrant dans l'administration du gouvernement, dans cette capitale de la Côte-d'Ivoire qu'était Abidjan. L'épouse d'un colonel de l'armée, entre autres, assistait de temps à autres aux offices religieux présidés par Antoine, et elle se prit peu à peu d'amitié pour Andréanne.

Elle lui avait remis un laissez-passer en l'invitant à venir lui rendre visite au palais présidentiel. Andréanne avait hésité quelque temps, puis s'était décidée à franchir l'enceinte barricadée de cette partie de la capitale protégée par de hauts murs et des sentinelles armées. Un brigadier et son escorte l'avaient appréhendée dès son arrivée à l'une des entrées principales. Une enquête serrée avait suivi cette halte obligatoire et, les vérifications terminées, un militaire l'avait accompagnée jusqu'au quartier des officiers, où l'épouse du colonel occupait, à l'occasion, le poste de directrice du personnel en communication.

– Andréanne, vous êtes venue ? se réjouit-elle en la voyant arriver. Elle donna quelques directives à son personnel et se dirigea avec son invitée dans une salle de séjour où on leur servit un thé ivoirien et des biscuits à la noix de coco enrobés de cacao et de beurre de karité.

Vêtue d'une longue tunique verte et coiffée d'un turban de couleur identique, Fanella personnifiait l'élégance et la classe dans sa démarche et dans l'accueil qu'elle réservait à ses invités.

Son entourage semblait lui vouer un respect mêlé d'admiration et d'attachement dévoué. Elle posa sur Andréanne un regard débordant de sympathie.

– Le courage d'affronter l'appareil militaire pour atteindre le palais présidentiel vous mérite le tapis rouge, ma bonne amie. Prenez ce fauteuil et qu'on lui serve ce qu'il y a de meilleur.

Sur le coup, Andréanne sentit le monde basculer en sa faveur. Des préposés aux invités allaient et venaient, apportant des plateaux de friandises et de boissons rafraîchissantes. Mais qu'est-ce qui me vaut un pareil accueil ? pensa-t-elle, à la fois amusée et reconnaissante pour le goût et le savoir-faire de son hôtesse.

– Votre bonté me touche là où ça compte, Madame Fanella, lui déclara-t-elle en lui serrant la main.

Elle était émue et se disait que cet accueil royal contrastait au plus haut point avec ses ennuis en pays musulman et ses misères au désert, de même qu'avec les tracas depuis son arrivée en Côte-d'Ivoire. Elle était néanmoins consciente, dans l'euphorie de sa nouvelle situation, que dans ce haut lieu de l'administration de l'appareil militaire, on n'avait pas intérêt à lésiner sur les mesures de sécurité. Donc, tôt ou tard on ferait enquête non seulement sur elle mais également sur son entourage, ce qui impliquait Muktar et ses antécédents.

Les incertitudes passagères, comme de grands oiseaux noirs survolant le ciel de son attachement pour lui, chaque fois que sa famille ou l'ambassade lui adressaient des mises en garde à son sujet, seraient appréhendées, mises en lumière, analysées et réglées. Si le Camerounais était un honnête type, les craintes tomberaient et le maintiendraient dans sa confiance totale. Dans le cas contraire, aurait-elle la force et le courage de regarder la vérité de plein jour, de quitter l'objet de son bonheur et de son amour ? Ne valait-il pas mieux ne rien faire, plutôt que d'apprendre une triste vérité et de porter ensuite ce fardeau sans avoir le courage de rompre ? Et la complicité qu'on reporterait sur elle ? À nouveau, un frisson lui parcourut l'échine, en constatant que ses nouvelles joies pourraient, tôt ou tard, laisser un arrière-goût d'amertume.

– Vous semblez songeuse, Andréanne, remarqua Fanella d'un œil observateur. Une préoccupation se serait-elle immiscée dans les plaisirs de votre séjour dans ce pays béni qu'est la Côte-d'Ivoire ?

– Avec les plus jolies fleurs, il faut s'attendre à quelques épines. Et j'en ai reçu de splendides depuis mon arrivée en Afrique.

– Les jolies fleurs sentent le besoin de se protéger, un peu comme vous... et la moindre imprudence peut leur être fatale. La beauté de ce monde est fondée sur la fragilité.

– La vôtre semble pourtant dépourvue d'épines, Madame Fanella.

Un sourire parcourut, l'espace d'un instant, les traits de ce visage d'une beauté rayonnante.

– Le joyau de grâce et de magnificence que constitue ce palais n'est pas dépourvu, comme vous l'avez constaté, des épines qui vont avec toute cette opulence. Les soldats, mitraillette au poing, les gardes armés ici et là, de même que les chars d'assaut, le long de ses hautes murailles, en sont la triste mais incontournable évidence.

Andréanne avait en effet remarqué, avec émerveillement, la richesse et l'incomparable charme se dégageant de chaque pièce de ce palais où tout avait été pensé avec soin dans ses menus détails. Les draperies du salon vert, où séjournaient pour le moment Fanella et son invitée, le marbre d'un vert émeraude recouvrant le plancher, les meubles de style Louis XIV, les tables de jade trônant majestueusement aux endroits appropriés et les tableaux de grands maîtres ornant les murs, conféraient à l'ensemble de la pièce, malgré ses proportions, une atmosphère d'intimité bienfaisante et la touche d'une rare beauté.

– On oublie souvent que les années de travail et d'effort investies dans la richesse d'un endroit comme celui-ci peuvent être détruites ou saccagées en un rien de temps. La prudence, la méfiance et leur cortège de conséquences sont les prix à payer pour leur survie. Les fleurs le savent, et leurs épines en font foi.

Mais... dites-moi, Andréanne, avez-vous un souci particulier concernant votre séjour en Côte-d'Ivoire, pour lequel je pourrais vous aider ?

L'invitée était sur le point de lui parler de ses projets en musique, de ses problèmes de liquidités, de ses incertitudes naissantes au sujet de Muktar, mais une autre idée avait germé dans le terreau de ses prévisions. Pourquoi alourdir la journée de cette dame du poids de ses préoccupations ?

– Vous seriez peut-être intéressée par un projet que je mûris lentement et dont vous aurez le loisir de juger s'il a des chances de vous être d'une quelconque utilité, hasarda la Québécoise, encore incertaine de l'accueil qu'on réserverait à son idée.

L'épouse du colonel esquissa un sourire où se mêlaient la surprise et la curiosité.

– Un projet pour nous ? Hum... intéressant. Est-il en état de nous donner un aperçu de ses couleurs ?

– Il s'agit d'un site Internet que j'aimerais mettre sur pied, pour vous et votre gouvernement, mais il faudrait que nous en élaborions ensemble le contenu et les modalités. J'avoue que le concept est encore embryonnaire.

– Je trouve l'idée prometteuse, s'exclama Fanella. La Côte-d'Ivoire a subi l'incartade d'éléments malveillants, un groupe ennemi de notre gouvernement et peu scrupuleux, dont les membres ont sali notre réputation aux yeux de nos voisins et sur la scène internationale. Ce pays a grand besoin de redorer son image, afin que les capitaux affluent et que les investisseurs réalisent la chance et les opportunités qui les attendent ici. Je vois en vous une ambassadrice, une chance qui nous tombe du ciel. Il vous plairait de rencontrer notre chef de presse ?

– À vrai dire, ce serait un bonheur, se réjouit Andréanne, à la pensée que les journalistes pourraient mousser son plan d'action et lui permettre de s'approcher des tenanciers du pouvoir.

À la mi-septembre, la nature ivoirienne avait commencé à montrer des signes de changement. L'automne était dans l'air et dans la végétation, qu'une autre teinte de vert modifiait graduellement. Malgré l'aspect temporaire de leur séjour chez le pasteur, le couple en hébergement ne semblait pas envisager son départ de chez lui de façon imminente. Antoine, qui regardait entrer ses deux pensionnaires à leur retour d'une journée au studio de Fantoche, fit un signe à Andréanne pour qu'elle vienne le trouver dans son bureau. Elle traversa le hall d'entrée en informant Muktar qu'elle allait le rejoindre dans leur chambre sous peu. Le pasteur lui fit signe de fermer la porte. Avant de s'asseoir, elle en était à se demander ce qui amenait leur hôte à s'entourer ainsi de secret pour lui parler. Il s'assit de l'autre côté de sa table de travail et se recueillit un moment, comme pour préparer adéquatement ce qui allait suivre. Andréanne attendit qu'il entame les pourparlers.

– Vous aimez ce Camerounais ? s'informa-t-il en guise d'entrée en matière.

– Bien sûr, y a-t-il un problème ?

– Eh bien je ne crois pas que ce soit un type qui convienne à votre rang, si vous me permettez de vous parler en ami et de façon honnête.

– Qu'est-ce à dire ? demanda la Québécoise, surprise, et se retranchant sur ses réserves.

– Je vous regarde aller tous les deux depuis un certain temps et quelque chose me dit que l'on profite de vous, de votre générosité. Je me suis informé sur les antécédents de votre compagnon, et son dossier n'est pas blanc comme la chair d'une noix de coco.

– Vous croyez ?

– Suffisamment, en tout cas, pour que vous évitiez d'être vue plus longtemps en compagnie de cet homme aux intentions louches et au passé grisâtre.

– Ce n'est pas notre différence d'âge qui vous inquiète, j'espère ?

– Cet aspect de votre relation est déjà assez troublant mais s'il n'y avait rien d'autre à redire, je fermerais les yeux… non il y a plus, ma chère Andréanne. Vous êtes une femme honnête et généreuse. Vous méritez qu'on n'abuse pas de votre bonté et de vos talents. Je vous conseille de quitter cet être, qui finira par vous faire sombrer dans quelque affaire sordide, pour votre plus grand malheur.

– Mais je suis amoureuse de Muktar et je ne pourrais pas me résigner à le quitter même si ma volonté me le commandait de toutes ses forces.

– Eh bien, ma très chère amie, vous voilà en face d'un choix sérieux ; je suis prêt à vous héberger encore quelque temps et à vous faciliter l'accès aux gens influents de notre milieu, mais pas avec votre ami. On risque trop avec lui. J'ai le regret de vous aviser que vous aurez à choisir entre lui et nous. Je vous laisse toutefois quelques jours de réflexion, avant d'agir dans un sens ou dans l'autre, et je vais prier pour que votre décision soit la bonne… !

L'appartement de Fantoche était un modeste réduit d'une chambre avec cuisinette et salle de bain dans un quartier pauvre d'Abidjan. Dans cet édifice de cinq étages, il fallait gravir les escaliers jusqu'au quatrième pour accéder à ce bled, où des appareils d'édition musicale occupaient une partie de la chambre et de la cuisine, comprenant un mini-comptoir et un poêle à gaz à deux ronds. Une vermine à longue queue s'y promenait de temps à autre, sans trop se préoccuper de la présence humaine. L'eau courante n'était pas toujours fiable, comme en témoignaient les réserves dans deux chaudières placées au bout du comptoir. L'eau chaude ne faisait pas partie des options chez cet Ivoirien de taille restreinte et aux cheveux cotonnés attachés en queue à l'arrière de la tête.

Fantoche était un boute-en-train au grand cœur, qui aimait les enfants au point de nourrir la famille de l'appartement voisin, en dépit de ses modestes revenus provenant de contrats d'arrangements en musique qu'il décrochait un peu partout. Ses talents de compositeur et de chanteur s'étaient heurtés, en France, où il avait tenté sa chance, à la mesquinerie de ceux qui l'avaient traité de façon avilissante. Même son amour pour une Française, là-bas, s'était terminé dans l'amertume et le chagrin.

Pressée, d'une part par le pasteur Antoine, à choisir entre Muktar ou l'existence sans lui, et d'autre part par le Camerounais devenu de plus en plus réticent à ce qu'elle continue à fréquenter le ministre du culte, Andréanne avait fait le pas et s'était résignée à quitter leur bienfaiteur pour venir habiter chez Fantoche. Celui-ci partageait avec eux sa chambre où, à trois dans le même lit, les ébats amoureux du couple avaient été réduits à leur plus simple expression. Dans ce manque à gagner sur le plan affectif, Andréanne avait recommencé à goûter aux affres du vide. Son amour, tel un oiseau paradisiaque, n'attirait plus les regards sur son plumage multicolore et semblait chanter dans un espace inhabité. Quel dommage ! Muktar, si proche et si loin, pensait-elle en évoquant les similitudes avec sa situation pré-africaine.

De son côté, le Camerounais avait commencé à s'absenter et à laisser Andréanne à elle-même. Que faisait-il de toutes ces soirées, parti savait-on où ? Au début, il ne s'agissait que de courtes absences ; mais ces sorties s'étiraient de plus en plus et devenaient plus fréquentes. La voisine de Fantoche, Noémie, y était-elle pour quelque chose ?

Dans l'ancien hôtel aménagé en bloc résidentiel où demeuraient les nouveaux venus, Noémie avait une clientèle assez régulière faisant appel à ses talents de coiffeuse. D'un naturel débordant de gaieté, cette Ivoirienne de taille moyenne, au rire communicatif, veillait seule à l'éducation de ses deux jeunes enfants. Avec l'aide financière de Fantoche, elle arrivait à boucler ses fins de mois sans trop se sentir coincée. Aussi lui apportait-elle un repas de temps à autre, en signe d'appréciation.

Andréanne ne tarda pas à se lier d'amitié avec Noémie et ses deux enfants. De plus, elle constata avec surprise que cette dernière n'avait rien à voir avec les échappatoires de Muktar. Noémie avait cependant une sœur d'une grande beauté. Elle s'était présentée chez la voisine de Fantoche pour une retouche à sa coiffure pendant qu'Andréanne amusait les deux mômes. Grande, de belle prestance, à l'allure aristocratique, débordante de féminité, Sara raflait l'amitié et la sympathie partout sur son passage. Arrivée depuis peu à Abidjan, elle avait fait la rencontre de Muktar et parlait de lui avec admiration. Mais où et comment s'étaient-ils rencontrés ? Se connaissaient-ils depuis longtemps ? Autant de questions que la Québécoise n'osa formuler, se disant que le temps et une oreille attentive finiraient bien par jeter quelque lumière sur cette énigme.

La woroworo, genre de taxi fourgonnette à trois sièges, roulait depuis une heure sur une piste ivoirienne, à travers une jungle épaisse. De temps à autre, une éclaircie, à même le fouillis de longues fougères et autres plantes tropicales, annonçait l'emplacement d'une maisonnette de bambou, d'allure plus que modeste, flanquée d'une plantation de fruits unifamiliale.

– On va avoir un orage, avertit le pasteur Antoine assis à l'avant, à l'adresse d'Andréanne et des autres membres de la mission, installés sur les banquettes arrière.

En effet, au moment où la woroworo atteignit les abords du lac qui les séparait de leur destination, les baladeurs durent s'abriter sous la toiture de toile du traversier qui les emportait sur l'autre rive.

Antoine et des aides allaient régulièrement dans ce village de brousse et à d'autres endroits à l'extérieur d'Abidjan pour apporter quelque réconfort spirituel et distribuer vivres et vêtements aux ouailles. Andréanne avait répondu à l'invitation de se joindre à l'équipe, avec l'espoir de rencontrer une foule d'enfants dans ce village où le taux de natalité était très élevé, à l'instar des familles de la brousse africaine en général.

La pluie s'abattit en trombe sur le lac et la contrée environnante. Le traversier avançait lentement sur la surface aquatique criblée de gouttelettes rebondissantes, avec son chargement de passagers et de voitures hétéroclites. Le village, sur l'autre rive, disparut finalement dans l'intensité du brouillard.

Sous la couverture de toile, Andréanne se demanda comment les habitants de ce bled passaient ce mauvais quart d'heure. Les huttes, qu'elle avait eu l'occasion de remarquer çà et là, ne semblaient pas d'une étanchéité évidente. Dans ces abris de fortune, elle imaginait des enfants assis, le dos recourbé, sur des tas de rébus, dégoulinant de façon misérable dans l'attente d'une accalmie.

Au moment où le traversier accosta à l'entrée du village, la pluie avait diminué en intensité. Les membres de la mission réintégrèrent la woroworo, et la voiture-taxi longea laborieusement une artère, entre deux rangées de huttes au toit de chaume ou de branches de palmiers, dans une boue rougeâtre que brassaient les dernières trombes de l'onde. Les appréhensions de l'étrangère en ces lieux s'avérèrent fondées dans les faits car, à travers les ouvertures des cabanes habitées, on pouvait remarquer des enfants accroupis sur des planchers de terre que des coulisses d'eau avaient transformés en véritables bourbiers.

– Pauvres petits, murmura-t-elle.

– Vous constaterez tout à l'heure à quel point ils sont heureux, la rassura le pasteur en réponse à son élan de sympathie.

Elle le regarda, surprise, mais ne tarda pas à écarter le doute sur son affirmation en voyant, par la sincérité de son regard, qu'il partageait avec elle la hâte de se retrouver avec eux. La woroworo se gara sur la place publique, au centre de l'agglomération villageoise, au moment où la pluie jetait ses derniers effluves sur la brousse ivoirienne.

La population du village ne tarda pas à affluer. Chacun était visiblement heureux de retrouver le pasteur Antoine, qui semblait jouir d'une grande popularité auprès de ces gens démunis. On lui serrait la main avec un large sourire ; on se pressait autour de lui, et les femmes lui présentaient, avec fierté, leur nouveau poupon. Les enfants, surtout, lui vouaient ostensiblement une affection et un attachement sans réserve. Il leur présenta la visiteuse blanche, qui connut un succès immédiat auprès d'eux. Chacun voulait la toucher, comme pour s'approprier un peu de sa différence, de cet éclat qu'elle seule possédait. La couleur de ses yeux, d'un bleu chatoyant comme le ciel dont le soleil venait de chasser les nuages, le charme de son sourire rayonnant de la joie de se retrouver en compagnie de cette troupe enjouée, la spontanéité de ses gestes pour répondre à leur besoin de tendresse, l'amour qu'ils sentaient en elle par les questions qu'elle leur adressait et l'intérêt manifesté à leur égard, tout les portait d'emblée vers cette dame merveilleuse qui avait su dès le premier instant susciter en eux le désir de se trouver dans son entourage.

Un soleil cuisant ne tarda pas à assécher le terrain de la place publique, au centre du village, de sorte que lorsque le pasteur demanda à la foule de s'asseoir, chacun s'assit sur le sol, qui avait repris sa consistance des beaux jours. Il leur tint le langage du cœur, leur apportant l'assurance d'une vie remplie de bonheur en échange de leur assiduité à servir amoureusement leur prochain. L'allocution à la foule fut suivie d'un repas communautaire à ciel ouvert. Les boîtes de provisions, sur le toit de la woroworo, avaient été déballées par les aides de la mission et membres de l'AIPE, l'Association Ivoirienne pour la Protection de l'Enfance, un ONG. Chacun vint remplir copieusement son bol, puisant à même les chaudrons de riz et de victuailles qu'on avait pris le soin de réchauffer en arrivant, et qui semblaient ne jamais devoir s'épuiser.

Andréanne s'affaira un certain temps à servir les enfants, et ces derniers réclamèrent sa présence au milieu d'eux pour partager de joyeux instants de danse, qu'ils exécutèrent au rythme des tam-tam. Malgré leur nombre, chacun prit une place de choix sous le soleil de ses souvenirs et, par la suite, elle garda de ces moments privilégiés le sentiment d'avoir laissé une partie d'elle-même dans ce coin perdu de la brousse africaine.

La situation chez Fantoche ne pouvait durer. L'exiguïté des lieux était déjà une raison pour que le technicien, seul avec sa batterie d'instruments à édition sonore, se sente assez à l'étroit pour rêver de s'installer dans un local plus grand. Quelques jours de ce ménage à trois suffirent pour que la tension éclate. Fantoche avait même avancé quelques sous à Muktar, qui lui faisait miroiter des retombées importantes des allées et venues d'Andréanne au palais présidentiel. « Le projet de redorer l'image de la Côte-d'Ivoire à même le *web*, disait-il dans ses élans oratoires à qui pouvait lui être utile dans l'avancement de sa cause, ne peut que déboucher sur une somme d'argent considérable, puisée à même le budget gouvernemental. »

De son côté, Andréanne connaissait des difficultés dans son projet avec Fanella. Les autorités se montraient réticentes et la raison de cette réticence ne pouvait être que Muktar, sur qui on avait sans doute découvert des informations douteuses. Elle s'en était remise à Fanella pour obtenir des renseignements concernant Muktar mais celle-ci, soit par crainte de lui causer un chagrin irréparable, soit parce qu'elle n'avait pas eu accès au dossier personnellement, s'était limitée à lui suggérer que son compagnon n'aidait pas sa cause. Entre-temps, on se montrait de plus en plus réticent à lui ouvrir les portes du palais présidentiel.

Quant au projet de C.D. de Muktar, les problèmes et retards continuaient à s'accumuler. Sami, le propriétaire des studios d'enregistrement Bassami à Abidjan, s'était envolé en France pour finaliser l'édition et la mise en marché de deux ou trois de ses produits, entre autres celui du Camerounais, mais une maladie grave l'avait frappé de plein fouet dès son arrivée à Paris. Cette circonstance imprévue ajoutait à la frustration que vivait quotidiennement le trio, dans le réduit où la tension continuait de monter.

– L'Europe, les Blancs, remarqua un jour Fantoche qui avait eu sa part de déceptions en France, ce sont des exploiteurs qui nous voient encore comme leurs esclaves. Un tas d'emmerdeurs.

Voulait-il ainsi signifier à la Blanche qu'elle était de trop dans son entourage? Tous les chemins conduisaient à cette inévitable conclusion. Andréanne devait quitter les lieux sans plus tarder. Prise de court, elle se réfugia chez Noémie, qui la prit sous son aile à son tour, quoique de façon temporaire elle aussi. Pour la première fois depuis sa rencontre avec Muktar à Alger cinq mois plus tôt, elle n'habitait plus avec celui pour qui elle avait traversé mers et monde et qui l'avait arrachée aux griffes du désert. Elle en ressentit une peine où pointait un début d'amertume.

– Ce n'est que temporaire et nous nous retrouverons bientôt, Andréanne, lui avait-il promis en lui soutirant un dernier bijou qu'elle avait gardé en réserve au fond d'un sac à main.

– Voilà, lui avait-elle dit avec un brin de mélancolie. Ce n'est pas le plus précieux, mais j'y tenais plus qu'à tous les autres parce qu'il me rappelle quelque chose d'important.

Ce généreux sacrifice n'avait été pour lui qu'un simple moyen de gagner du temps en attendant que se réalise son projet de musique. Il avait emporté l'objet comme on emporte simplement la rémunération d'une semaine de travail ou l'acquittement d'un dû. Quelques fines cordes au fond de son être venaient de se rompre. Celui qu'elle adorait et pour qui elle aurait donné sa vie lui échappait. Son amour pour elle semblait perdu dans la brume d'un éloignement désespérant; même l'intérêt auquel elle croyait avoir droit semblait lui avoir été retiré. Pour la première fois, elle sentit la désillusion que provoque le sentiment d'avoir été utilisée. On s'était servi d'elle; ou était-ce une fausse impression? Elle se rappela qu'il lui avait demandé pourquoi elle avait cessé d'aller au palais présidentiel. Mais comment lui dire qu'il en était sans doute la cause sans en être absolument sûre ? Elle en avait déduit que la confiance qu'il avait en elle et en son pouvoir de l'aider à réaliser son rêve lui avait été retirée et que, ne lui étant plus d'aucune utilité, il n'avait plus besoin de son amour. Il lui retirait même l'amour qu'il avait eu pour elle ; d'ailleurs, en avait-il vraiment eu ? La terrifiante question la replongea sur le bord de l'affreux gouffre qu'elle avait fui en quittant mari et patrie. L'amant sincère et généreux qu'elle avait cru voir en ce Camerounais aux yeux rieurs n'aurait-il donc été qu'illusion ? Ces moments d'intimité et de passion effrénée dans les bras de celui qui disait l'aimer d'une douce folie n'auraient donc été que la symphonie du vent sur son imagination, pour l'endormir et la replonger plus profondément dans le découragement et l'avilissement d'un réveil honteux ? Qu'en était-il au juste ? Elle sentit dans son cœur le resserrement inexorable d'une angoisse qui la tenaillait sans merci et dont elle n'arrivait pas à secouer le joug. Il fallait qu'elle partage ce poids écrasant avec quelqu'un, mais qui ?

Elle décida de s'en remettre à Noémie qui, à cette heure, venait de mettre ses enfants au lit pour la nuit.

– Tu sais, fit-elle, j'ai un sérieux problème.

– À te voir aller, je m'en doutais bien. Parle toujours.

– Il s'agit de Muktar. Je ne sais plus où j'en suis avec lui, avoua-t-elle, à deux doigts d'éclater en larmes. Que ferais-tu si celui que tu aimes te conseillait de retourner dans ton pays en alléguant que ce serait la meilleure façon d'aider sa cause ?

Noémie resta songeuse un moment.

– Je crois que je me poserais de sérieuses questions, lui répondit-elle après réflexion. Muktar est un bon garçon, mais c'est un type qui cherche par tous les moyens à atteindre son but, à se sortir de la misère.

– Crois-tu qu'il est sincère ? Peut-on compter sur son honnêteté ? Et que dire de sa fidélité ?

Car tel était l'essentiel du questionnement d'Andréanne. Elle avait formulé ses doutes sur le même souffle, en écrasant son orgueil. Noémie la contempla un moment, médusée par la confiance dont elle était l'objet. Son naturel spontané était visiblement aux prises avec une retenue inhabituelle. Ses yeux, d'un noir incandescent, s'assombrirent davantage.

– Mes brèves connaissances concernant ce jeune homme ne m'autorisent pas à statuer sur toutes ces questions, avoua-t-elle d'un air pathétique.

La coiffeuse ivoirienne jouait-elle la carte de la diplomatie pour éviter d'ajouter à la déception et à la souffrance de son interlocutrice ? Préférait-elle rester neutre pour ne pas perdre l'amitié de la Blanche ou, comme elle, son doute sur le sujet l'empêchait-elle vraiment de se prononcer ? Une dernière possibilité, réelle celle-là aussi : Noémie avait peut-être rejoint le clan des déçus, les projets d'Andréanne en haut lieu ne débouchant pas sur des retombées dont elle aurait pu bénéficier elle aussi. Quoi qu'il en soit, dans ce milieu où chacun attendait quelque chose de chacun des autres, les hésitations de Noémie à formuler une réponse claire aux questions posées portaient à réflexion, et Andréanne regretta d'avoir mis son âme à nu. L'hôtesse n'était sans doute pas la candidate idéale pour ce genre de confidence qui l'obligeait à concilier amitié et conflit.

Des éléments de réponse à ces nouvelles questions ne tardèrent d'ailleurs pas à affluer, dès le lendemain de ces propos entre les deux femmes. Noémie demanda subrepticement à sa nouvelle protégée s'il ne lui restait pas un objet de valeur à lui remettre en guise de paiement pour son hébergement chez elle depuis deux jours.

Bon, pensa l'invitée, on me fait la charité, mais une charité bien calculée.

L'étau se resserrait autour de la Blanche. Les ressources du côté humain ou autres achevaient de s'épuiser. La porte était désormais close chez le pasteur Antoine puisqu'elle avait refusé de rompre avec Muktar, au nom de leur amour réciproque. Pour la même raison, le conseil de la première dame avait retardé la présentation de son projet à cette dernière, même après qu'un économiste qu'Andréanne avait trouvé à Abidjan lui eut dressé la liste des coûts reliés au plan d'action, pour compléter le dossier.

La corde retenant l'étrangère à ce milieu qui lui avait donné tant de joies n'était déjà plus qu'un fil. Et ce fil serait bientôt rompu ... s'il ne l'était pas déjà. Elle s'accorda encore quelques jours de réflexion, ressassant les données du problème dans tous les sens. Ses forces semblaient à nouveau la quitter ; une main invisible la terrassait et secouait tout ce qu'elle avait construit, telle une tornade balayant un village sur son passage.

Muktar se faisait de plus en plus distant. Les tentatives de dialogue et de rapprochement n'avaient réussi qu'à l'exacerber davantage. Les dents de la violence verbale avaient commencé à déchiqueter le corps moribond de ce bonheur construit au prix de sacrifices sans nom. Il fallait sauver ces lambeaux d'une mort imminente et ramener ces restes humains à la case départ, là où ses filles et ses sœurs pourraient la revoir et lui inspirer quelque raison de poursuivre cette existence misérable.

La limousine de l'ambassade attendait à la porte de l'édifice d'où émergea ce qu'il restait de la Québécoise aux traits tirés. Pendant les cinq derniers jours, où elle avait passé ses nuits sur le toit plat de l'édifice, elle avait encore perdu du poids. À l'aube, de grands oiseaux noirs laissaient, à haute altitude, tomber des noisettes sur ce toit d'ardoise pour les faire éclater et ensuite ramasser les amandes. Grâce à eux, Andréanne y avait trouvé de quoi survivre aux douleurs de la faim. Lasse d'attendre un revirement dans l'attitude de celui qui avait été sa raison d'être depuis bientôt six mois, elle avait, en désespoir de cause, appelé l'ambassade canadienne, qui s'était empressée de lui faire signer un contrat de rapatriement aux frais des autorités diplomatiques, avec retenue de son passeport en guise de garantie de son remboursement.

Le Camerounais prit place auprès d'Andréanne, sur une des quatre banquettes arrière de la voiture noire aux vitres teintées.

– Nous continuerons à nous visiter sur le site Internet et à nous entraider jusqu'à ce que je puisse aller te rejoindre dans ton pays, ma princesse, lui dit-il pour rompre le silence de la randonnée en lui passant maladroitement le bras autour du cou.

Triste et désolée, Andréanne n'eut pas la force de tendre la main vers cette corde qu'elle sentait passer près d'elle dans l'obscurité du gouffre où elle se trouvait une fois de plus. Mais cette perche salvatrice n'était sans doute qu'une autre illusion, dans ce monde de promesses qui l'avaient démolie jusque dans les derniers retranchements de ses espoirs les plus fondamentaux. À quoi bon relever la tête et oser espérer si c'est pour retomber toujours plus bas ? Il aurait fallu, pour y parvenir, un dernier sursaut d'énergie qu'elle n'avait malheureusement plus. Elle demeura silencieuse et sans réaction.

À l'ambassade, on lui avança deux cent dix dollars en argent de poche et on lui remit un billet d'avion pour se rendre à Montréal. La limousine prit ensuite la direction de l'aéroport international d'Abidjan. La secrétaire du consul et le chauffeur conversaient à voix basse sur le siège avant. Andréanne se sentait comme ces victimes de la Révolution française qu'on conduisait à la guillotine. Muktar, silencieux, semblait n'avoir plus rien à lui dire.

Lorsqu'elle passa à la douane, escortée avec vigilance par les deux employés de l'ambassade, elle se retourna et crut percevoir dans le dernier regard que lui envoya Muktar un éclair qu'elle ne parvenait pas à déchiffrer. Que signifiait cette lueur étrange ? Puis, lorsque l'avion eut atteint le zénith de son parcours, entre la Côte-d'Ivoire et Amsterdam, elle se rappela cette nuit où les deux Samaritains sénégalais s'étaient présentés chez Fantoche et avaient réclamé Muktar à la porte, dont l'entrebâillement laissait entrevoir un livret et une carte que Nouma remettait au Camerounais. Ce dernier lui avait tendu un objet brillant, et Djibo lui avait dit :« Essaie de ne pas t'en servir avant d'avoir atteint la frontière. »

Grand Dieu, pensa Andréanne. Des faussaires de passeports et de cartes d'identité ! Et mes précieux bijoux de famille dans ce honteux trafic ... est-ce possible ? Voyons, je rêve, soupira-t-elle. Et cet entretien de Muktar avec un étranger dans le hall de l'hôtel du Nord à Abidjan, un soir où ils étaient revenus des studios Bassami. Il ne s'agissait pas d'une simple ressemblance avec Saïd, celui des passagers de la Toyota dans désert, à qui Andréanne imputait le meurtre d'Atha. Saïd avait sans doute poussé le jeune Atha dans le vide parce qu'il en savait trop et risquait de compromettre une affaire.

L'avion se posa à l'aéroport international d'Amsterdam, où l'air automnal de la fin de septembre ramenait les passagers ivoiriens à la froide réalité d'un monde diamétralement différent. Andréanne grelotta sous le mince tissu de sa robe africaine. Son allure décharnée attestait des sévices subis au cours des cinq derniers mois. Le modernisme européen la secoua et la replongea brusquement dans cette réalité qui serait sienne, dans quelques heures seulement, de l'autre côté de l'Atlantique.

Et que penseraient ses sœurs de St-Gérard-des-Laurentides, ses filles ? Son état délabré, son allure démolie parleraient bien haut de sa triste déconfiture. Elle sentait déjà la pitié que manifesteraient ses filles en constatant son état de santé ; cette santé qui n'était plus que l'ombre d'elle-même. Comment pourrait-elle subir cette pitié ? Une douleur lancinante lui tenaillait la poitrine au moment où les passagers prenaient place sur le vol Amsterdam-Montréal. Elle chancela avant d'arriver à son siège, et une hôtesse de l'air la saisit juste à temps pour l'empêcher de tomber sur le dossier d'un fauteuil près de l'allée centrale.

Les membres du personnel de bord dépêchèrent un médecin sur place, et la voyageuse fut transportée, pour y subir un examen sommaire, à la salle de soins de l'aérogare. Le vol 847 allait être retardé quelque peu, grésilla un haut-parleur à l'intérieur de l'aéronef.

L'aéroport de Mirabel n'était plus qu'à quelques minutes lorsque les passagers du vol 847 bouclèrent leur ceinture avant l'atterrissage. La défaillance cardiaque d'Andréanne avait pris les autorités d'Air Canada, à Amsterdam, par surprise, mais elle s'en était vite remise et avait réintégré sa place parmi les autres passagers.

Certains membres de la famille, informés par l'ambassade de l'arrivée de la voyageuse, seraient certes au rendez-vous pour l'accueillir à l'aérogare. Une joie mêlée d'appréhension galvaudait son for intérieur alors qu'elle se rappelait cette lueur étrange dans le dernier regard de Muktar. Puis, elle se souvint qu'elle lui avait confié ses quelques effets de voyage, le temps d'aller faire valider son billet d'embarquement avant de quitter Abidjan. Elle eut tout à coup le réflexe instinctif de vérifier son sac, mais elle en fut empêchée par les secousses de l'avion qui venait de toucher le sol de Mirabel. Le vrombissement des puissants moteurs, dont les réacteurs venaient d'être inversés, exerçait un mouvement de freinage qui la ramena à la pensée du retour au bercail, son pays natal où les siens lui tendraient bientôt les bras.

Mais comment, triste et déchirée, sachant avec acuité que jamais plus elle ne reverrait l'amour de sa vie, pourrait-elle continuer à exister avec cette amertume, ce dégoût de tout, jusqu'à celui d'elle-même ? Et que dire de la rancœur des siens, malgré leur bonheur de la revoir vivante ? Ne se retrouvait-elle pas seule, dans la rue, sans le sou ? N'aurait-elle pas été mieux d'en finir en Afrique, d'aller jusqu'au bout, de boire la coupe jusqu'à la lie, de ne pas avoir à subir pire encore, l'opprobre d'une vie de reproches et de honte ? Les siens sauraient-ils lui pardonner, la comprendre ?

Au moment où l'avion avait touché le sol du Québec à l'aéroport de Dorval et que l'énorme force de freinage l'avait clouée sur place, une autre pensée s'était emparée d'elle et avait occupé avec insistance tout le champ de sa conscience. Oui, c'était la certitude qu'elle avait eue soudain, avant de monter à bord du vol 641 au début de son périple. Une certitude viscérale, une voix intérieure en quelque sorte, lui répétait avec insistance qu'elle commettait une erreur, qu'il ne fallait pas s'embarquer, qu'elle devait à tout prix rebrousser chemin, annuler tout le projet. Sur le coup, elle resta abasourdie et oublia de se lever de son siège, alors que les derniers passagers se dirigeaient vers la sortie, le sourire aux lèvres, heureux pour la plupart d'être de retour au pays.

– Tout va bien ? s'informa une hôtesse qui l'observait d'un air perplexe.

– Oh pardon, fit Andréanne en se levant, tout en essayant de se refaire une contenance.

Avant de passer aux douanes, les passagers du vol Amsterdam-Montréal attendaient en file, passeport en main, pendant que de l'autre côté des tourniquets de sortie s'agitait la foule des parents et amis impatients d'accueillir les voyageurs. Certains s'étiraient le cou et scrutaient les arrivants dans un effort pour reconnaître celui ou celle qu'ils étaient venus chercher. Des bras et des mains s'agitaient de part et d'autre. Soudain, Andréanne reconnut Milaine et Amanda, ses deux filles qui la regardaient traverser la ligne d'accueil après la vérification d'usage. Elle courut à leur rencontre et s'effondra en larmes pendant qu'elles l'enlaçaient avec effusion.

– Grand-maman, te voilà, s'écria le petit Mathieu qui lui non plus n'en croyait pas ses yeux de la revoir ! Est-ce bien toi ? On dirait que tu n'es plus la même.

Ce dernier lui envoyait, avec candeur, l'image qu'elle avait aperçue dans son miroir quelques instants plus tôt, avant de descendre de l'avion : un visage décharné et méconnaissable, racontant malgré elle les privations de la faim et les ennuis de santé subis sur le continent africain. L'ombre d'un chagrin profond effaça, malgré elle, le sourire que lui avait apporté la douce joie de retrouver les siens.

Paul et Georges apportaient les maigres effets de leur belle-mère à l'auto et, avant de quitter Montréal, Andréanne, dans un mouvement de sa générosité naturelle, voulut se montrer magnanime et invita son monde au restaurant. Quoi de mieux qu'une table bien garnie, où se retrouver en famille, pour déballer son sac de nouvelles après une absence prolongée ?

Pendant que les propos fusaient, Andréanne aperçut au bas du menu qu'elle tenait en main l'inscription LUBRICUM. COM. La malaria, le délire ; vous trouverez la clef de cette énigme à la fin de votre périple, se souvint-elle vaguement. Puis, tout s'éclaira dans son esprit. COM... le terme anglais pour ordinateur ; CUM... du latin ; avec, BRI... rupture, brisé ; et LU... pour lumière ou vie. Vie brisée avec ou par l'ordinateur. Intriguée, elle s'informa au garçon venu chercher les commandes.

– Il s'agit d'une entreprise publicitaire, lui répondit-il. Ils prétendent que la lumière ou la connaissance brillera grâce au web...

À la fin du repas, Andréanne plongea la main dans son sac pour défrayer le coût du repas et constata que les deux billets de cent dollars n'y étaient plus... !